MIURA AYAKO LITERATURE MUSEUM
三浦綾子記念文学館

手から手へ～三浦綾子記念文学館復刊シリーズ④

帰りこぬ風

三浦綾子

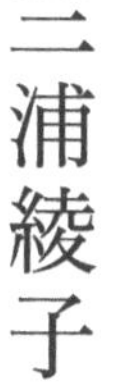

帰りこぬ風　もくじ

カバーデザイン　齋藤玄輔

序章

序　章

一月十七日　土曜　晴　風強し

今日はなぜか、一日淋しかった。淋しさとは一体何なのだろう。何がわたしを淋しがらせるのだろう。原因のない淋しさというものは、へんに不安なものだ。

夕方、勤務が終って帰る時、急に広川さんの顔を見たくなって、二号病室に寄ってみた。

「千香ちゃん。どうしました？　淋しい顔をして」

広川さんは、書見器を横にまわして、わたしの顔をじっと見た。ああ、わたしは人にもわかるほど、淋しい顔をしていたのだ。

広川さんはたしか二十八歳だから、わたしより六つ年上のはずだが、ずっとずっと年上のような感じだ。何となく、人の心を安らがせるふしぎな雰囲気を持っているからだろうか。

「何を読んでいたの」

わたしは広川さんの書見器をのぞきこんだ。

「モーリヤックのパリサイ女さ」

「モーリヤックが好きなのね」

序　章

　広川さんは、フランス語でモーリヤックを読んでいた。

「うん」

「パリサイ女って、なあに？」

「そうですねえ、いってみれば、自分は他の人より正しいという意識が、強すぎる女のことかな。人間はみんな、パリサイびとですよ」

　広川さんのそばにいるだけで、淋しさが消えた。

「広川さん、毎日臥ていて淋しいと思わない？」

　広川さんは、入院してもう一年になる。慢性肝炎と、慢性腎臓炎なのだ。

「淋しくないと言ったら嘘になるでしょうね。でも、病気になったからって、特別健康の時より淋しいということでもないですよ」

　そう言って広川さんは、手の指をポキポキと鳴らした。

「わたし、今日はへんに淋しいの。どうしてかしら」

「生きてるって、そんなものですよ。淋しい日もあれば楽しい日もある。いや、千香ちゃんの場合は恋人がいないからかな」

　広川さんはにこっと笑った。いい笑顔だ。こちらの心をときほぐし、微笑を誘う笑顔である。わたしはアンドレ・ジイドの「狭き門」を借りて帰った。民子さんは、もう準夜勤務で部屋を出ていた。

今夜は風だ。ガラス戸が時々鳴っている。

序　章

一月二十日　火曜　雪一日降りやまず

　ゆうべ、うとうとと眠りかけていたら、準夜勤務を終えて帰ってきた民子さんが、いきなりわたしにとびついてきた。

「どうしたの」

　思わず飛び起きると、

「千香ちゃん、わたし、とうとう加沢先生とキスしちゃった」

　と、うっとりした顔をしている。

「まあ」

　加沢先生は、四十を過ぎた外科医長だ。皮靴をキュッキュッと、誰よりも音たかく鳴らして廊下を歩くきざな奴！

「民子さん、あの先生には奥さんがいるんじゃないの。外科の山田婦長とだって、ミス外科とだって、噂がある先生じゃないの。どうして、あんな先生に……」

　と怒ると、民子さんは笑った。

「千香ちゃんは、まだ恋をしらないんだもの、この気持わかりはしないわ」

さくらんぼのような、つるりとした赤い唇をみつめていると、加沢先生のうすい薄情そうな唇が目に浮かんで腹立たしかった。

男と女って、一体何だろう。男の何に、女の何が惹かれるのだろう。わたしは清い恋をしたい。真実な恋をしたい。二度と繰返し得ない人生なのだ。悔いのない恋をしたいと思う。

娯楽室のピアノの白い鍵盤を十五、六本皿に盛って、カレーをどろりとかけ「召上がれ」と加沢先生に食べさせたし。

二月一日　日曜　晴　寒さきびしい

準夜勤務。詰所で体温表の記入をしていたら、杉井田先生が入ってきた。

「あ、君が準夜なの」

なぜか先生は、ちょっと驚ろいたようにわたしの顔を見た。

「はあ、何か?……」

「いや、君の準夜とわたしの当直は、今までぶつかったことがなかったでしょう。だから
……うれしかったんだ」

杉井田先生は、そういって、てれたように笑った。わたしは思わずドキンとした。こう言われてドキンとしなければ、ヘルツが故障していることになる。

杉井田先生は、髪をはらりと額に垂らし、いつも、愁いを含んだ目をしているのが（女性の目の表現みたいだけど）魅力的だ。ちらりと見られるだけでも、胸がキュッと痛くなると、ナースたちや女の患者がさわいでいる。その先生に、こんなことを言われたということ、やっぱり素直にわたしはうれしかった。

「君のうちは、大きな食料品屋さんだってね。ご両親とおにいさん夫婦、二番目のおにいさ

ん は東京、店には店員さんが五人もいる……」

　杉井田先生はそう言って、わたしのそばの椅子に腰かけた。いつの間にそんなことを知ったのかと驚ろくわたしに、

「君は二十二歳、趣味は読書と音楽でしょう?」

　杉井田先生は、わたしの顔をのぞきこむように言った。

「まあ、そんなこと……」

「ぼくは、君に関してはいろいろと知っているよ。ただ一つ、君に恋人がいるかどうか、これだけはぼくにもわからないけど」

　即座にいないと言おうとして、わたしはだまった。

　こんな時に、どんな返事ができるだろう。わたしは、ごく平凡な女なのだ。これだけ自分に関心を持たれていると知っただけで、飛び上りたいほどうれしくなる、当り前の女なのだ。けれども、すぐにうれしそうな顔をするほど、無邪気でもない。わたしは多分、当惑したようにうつむいていたと思う。

「君は広川くんと親しいらしいけれど……」

　しばらくして、杉井田先生はポツリと言った。広川さんは恋人ではない。わたしはただ、あの人のそばにいると、呼吸が楽になるのだ。心が安らぐのだ。でも、わたしはやはりだまっ

ていた。杉井田先生は、何とも言えない淋しそうな目で、じっとわたしを見つめていた。

民子さんの寝息を聞きながら、ここまで書いて、わたしは何となくため息が出た。日記を書くように勧めてくれたのは広川さんだ。わたしは、今日までただ何となく書きつづけてきた。けれども、何だか明日からは、何を書くのか恐ろしいような気がする。

恐ろしいとは何だろう。自分が恐ろしい。他人が恐ろしい。世間が恐ろしい。この恐ろしいという感情は軽薄なのだろうか。こずるいのだろうか。広川さんという人には、恐ろしいことがないような気がする。なぜだろう。

序章

二月七日　土曜　雪

〈あなたが口を開いて話すとき、そのことばは、沈黙よりも価値あるものでなければいけない〉

とはアラビアの格言だそうだ。沈黙は金という言葉もある。多分、猛烈なおしゃべりな奥さんを持った男が、苦しまぎれにつくった格言にちがいない。

たとえ、その言葉が神様の言葉でも、今日のわたしは、黙っていることができないのだ。二十二歳の女の子は、おしゃべりのほうがかわいいのです。

今日は病院のすぐそばの、札幌神社の裏で、恒例の職員スキー大会があった。でもわたしは日勤で行けなかった。大きな雪が、ふわふわ漂うように降る雪を眺めているだけだった。

夕方、宿舎に帰ったら、芙佐(ふさ)ちゃんが部屋に遊びに来て言った。

「お千香、おごれよ」

芙佐ちゃんは体重六十六キロ、身長1メートル七十。男性に劣らぬ体格のせいか、男のような口をきくのだ。

「どうして?」

「だってさ、杉井田先生が西原千香子はきていないかって、あちこちで、きいていたってい
うからさ」
　芙佐ちゃんは、わたしの肩をぐいとつついた。民子さんも、
「みんなさわいでいたわよ。杉井田先生と西原さんは、そういう仲だったのかとか何とかっ
て。同室のあなたが知らないなんて、ボンヤリねって言われたわ」
　などと言った。
「知らないわよ、わたしだって」
　わたしが困惑したように言うと、芙佐ちゃんは、
「わかってるよ。杉井田先生が千香に熱を上げてるんだ。千香は女のわたしでさえ、ほれぼ
れするような、きゅっとしまった体をしてるし、情熱的ないいマスクをしてるもん、無理
ないよ。好きなら、突進しなよ。応援するよ、ね、お千香」
　芙佐ちゃんはそう言ってから、じいっと、わたしの顔を見て、
「でもね、男ってなまずるい動物だからね、気をつけるんだよ」
　と言った。芙佐ちゃんはいい人だけれど、男を全然信用していない。あとで民子さんが、
彼女多分手痛い失恋をしているのよ、と言っていた。
　わたしは、つくづく、スキー大会に行きたかったと思う。わたしは高校時代、スキーの

選手だったのだ。スキーに乗ったわたしは、多分誰よりも魅力的な存在であったにちがいない。

ところで、わたしは、杉井田先生が好きなのだろうか。好かれたからといって、好きになるというのは、主体性がなさすぎる。あの先生のどこが好きなのだろう。あの、やや憂鬱そうな目だろうか。誰を愛するか。これは一生の一大事なのだ。人生は撰択なのだ。誰を選ぶかは一大事なのだ。

ちょっと分別臭く、そんなことを考えてみたが無駄だった。わたしは、多分、杉井田先生が好きになったのです。

二月十五日　日曜　快晴　珍らしく風なし

日直。

春の日ざしのようなあたたかい日が、どの病室にもいっぱいにさしこんでいた。医師たちはみな日曜で休み。杉井田先生も休み。

夕方、寄宿舎に帰ったら、珍らしく東京の兄からハガキが来ていた。

「ストーブのそばで、ぬくぬくと過す札幌の冬がなつかしいよ。東京の冬は寒い。千香はスキーを楽しんでいることだろう。その暇もないかな。と、ここまで書いてハッと気がついた。やっぱり逆さに書いている。この頃よくやるんだ。こんな不注意な人間でも、プログラマーが勤まるんだから、ひどいよ。捨てるのももったいないからこのまま出す。注射をまちがえるなよ。東京はひどい流感だ。千香もカゼを引くなよ」

ふっと、次兄に会いたいと思った。きょうだいっていいな。三人いても、四人いても、さぞいいだろうな。ハガキを逆さに書いても、斜めに書いても、何でもいい。兄っていいな。兄のハガキ一枚で楽しくなるなんて、安っぽい女でしょうか。

二月十六日　月曜　晴

「この頃、ちょっと、はなやかな噂があるわね、西原さん」

詰所にうがい薬をもらいに来た真野良枝さんが、好意ある微笑を見せながら言った。真野さんは、広川さんと家が近所とかで、親しい間柄なのだ。

「あら、そんな」

わたしは思わずあかくなった。噂って、いつもこうなのだ。本人が何も知らないうちに、話だけが大きく広がっていくのだ。

「西原さん、おいくつ?」

「二十二ですけれど、四月には三になるんです」

「二十三ねえ、わたしより十も下なのねえ」

真野さんは考えるように言って、

「結婚は急ぐことはないのよ」

と言った。どこか、広川さんに似ている人だ。広川さんと結婚したら、きっとすてきなご夫婦になるだろう。

この頃何となく、わたしはうわずっている。日記は青春の記念碑だと広川さんが言った。日記の中で、じっくり自分を見つめなさいとも、言ってくれた。でも、わたしは自分から目を外らしたくなっている。目を外らしてふわふわしていたい。それもまた、青春の日の正直な姿なのだろうか。

二月二十八日　土曜　曇　あたたかし

　五階でエレベーターに乗ると、思いがけなく、杉井田先生が一人だけ乗っていた。思わずわたしはあかくなった。

「帰るの、西原さん」

　杉井田先生の手が、背にかかった。一瞬のことだった。が、エレベーターは三階でとまった。四、五人、看護婦や患者が入ってきた。人々の視線が、わたしの上に集まるのを感じた。平気でいようとしても、たった今、背に感じた先生の手の感触が残っていて、わたしはついうつむいていた。

　地階でエレベーターを降りたら、うしろから名を呼ばれた。ふり返ると、ガウンを着た広川さんが、やさしい微笑でわたしを包んでくれた。うつむいていたので、三階で乗りこんだ広川さんにわたしは気づかなかったのだ。

「お買物？　わたしがして上げたのに」

「うん、この頃、少し動きたいんですよ」

　広川さんは、売店のほうにゆっくりと歩いて行った。

誰もいないエレベーターの中で、いきなり人の背に手をふれるなんて、失礼ではないか。わたしは、そんな男性は好きじゃない。そう思いたいのだが、今も背中に、あの先生の手がおかれているような、ふしぎな感触が残っている。

わたし自身とは別の感情、肉体の感情があるのを、わたしは今日初めて知ったような気がする。あのエレベーターで、このまま、先生と二人で地獄まで降りて行ってもよいと思うような、甘美な大胆な感情が、わたしの中にあったような気がする。

民子さんは、夜、外出することが多くなった。時々、手鏡をじっと見つめていることがある。民子さんも、悩んでいるのだ。妻のある人などを愛してはいけないのに。

三月一日　日曜　うすぐもり　時々小雪

広川さんの病室に行く。わたしの顔を見ても、広川さんはしばらくだまっていた。

「どうしてだまってるの、広川さん」

尋ねると、

「だって千香ちゃんは、だまってそこにすわっていたいんじゃないの」

広川さんは、かなしい程のやさしい微笑を見せた。その通りなのだ。わたしは、広川さんのベッドのそばに、じっとすわっているだけでよかったのだ。それにしても、広川さんって、恐ろしいほど人の心の動きのわかる人だ。

「わたしね、ゆうべ……」

杉井田先生のことを思って、眠られなかったと、打ち明けてみたかった。けれども、さすがにためらわれて口ごもると、

「ゆうべ、よく眠っていないんでしょう」

広川さんは、何もかもわかっている。

しばらくして、広川さんは童話を話してくれた。星の子どもが、湖に光る星を見て、友

だちになりたいと思った。そして、神さまにおねがいして下界に降りて来たら、それは自分の姿が湖にうつっていたという童話だった。

夜、九時すぎて民子さんが、外から帰ってきた。酒の匂いをぷんぷんさせている。オーバーも脱がずに、ごろりと横になって、

「あなたのかんだ小指が……」

と歌いはじめた。

「小指が痛い。親指も痛い。中指も痛い。五本の指がみんな痛い。うそ、うそ、痛くなんかありませんよーだ」

呆れてみているわたしを、民子さんは見上げた。ぎらぎらした目だった。

「千香ちゃん、あんた、妻のいる人を恋してはいけないといったけれど、どうして悪いの」

「あなたはいいと思っているの」

「いいか、悪いか、そんなことわたしの行動の基準にはならないのよ。わたしにとって大事なのは、自分の感情に正直であることだけよ。好きなことを、わたしはしたいの。ね、千香ちゃん。わたしたちは若いのよ。世の中に気がねなんかしてちゃだめよ。一日一日を完全燃焼させなくっちゃ。若い時は二度とないのよ」

民子さんは熱っぽく言った。今夜何かあったのだ。オーバーの下から出ているすらりと

した民子さんの足の、靴下が少しよじれていた。

「でも、人間の世界には、していけないことって、あるでしょう」

「救われないなあ、千香ちゃんは。若さというのはね、立入禁止の立札があったら、その立札を無視して、立ち入ることなのよ。そんな立札をひっこぬくことなのよ」

「まあ」

「触れるべからずと書いてある陳列物には、触れてみる。それが若さの分別よ。若い者の分別は、大人の分別とはちがうのよ。自分の手でたしかめていくのよ。この世で反道徳的ということが、本当に悪いかどうか、挑んでみることなのよ」

「そんな生き方をしたら、傷つくだけじゃないの」

「結構よ、千香ちゃん。この世は戦いなのよ。戦場なのよ。戦場では、傷は名誉じゃないの」

民子さんはニヤッと笑った。今まで、民子さんはそんな笑い方をしたことがなかったはずだ。わたしは黙って民子さんの布団を敷いてあげた。民子さんの話は、ひどく威勢のいい話だけれど、どこかがまちがっているような気がしてならない。

「いいこと、あなたも杉井田先生と、やけどをするような恋をしてね。祝福するわ」

民子さんはそう言って、布団の中でもそもそと着更（きか）えていた。

若さとは一体何なのだろう。誰かが、

「若さとは成長することである。何に向って成長するか、それが若い人の課題である」

と、何かに書いていた。

民子さんは何に向って成長するのだろう。成長というより突進のようだ。わたしは、何に向って成長するのだろう。わからない。悲しいけれど、何に向うべきか、わたしには明確な目標がわからないのだ。

三月三日　火曜　雨

今年はじめての雨。煤（すす）けた雪をとかす三月の雨は、雨の中で一番いい。

夕方五時から、寄宿舎の広間でひな祭りがあった。おしる粉とちらしずし、そして白酒が出た。司会は芙佐ちゃんだった。総勢百人余り。みんな白衣を脱いで、思い思いの服を着ている。わたしも指名されて、浜辺の歌をうたった。歌い終ったとたん、

「よう！　杉井田千香子！」

と、誰かがはやした。みんなどっと笑った。わたしは真っ赤になって壇から駈けおりた。

「お千香、ガンバレ。みんなで応援するよ」

司会の芙佐ちゃんが大声でいうと、みんなが一斉に拍手した。

「あんたのこと、みんな祝福しているわよ。よかったわね」

民子さんが、自分のことのように喜んでくれた。

何ということだろう。わたしはまだ、杉井田先生とデートもしたことがないというのに、周囲では決定的な事実のように扱っているのだ。わたしは、何かほんろうされているような気がした。

こうまで噂が広がってしまっては、デートさえしていない事実を誰が認めるだろう。何かひどく不安でならない。

三月七日　土曜　雪

日勤を終えて外出した。はじめて杉井田先生と背を並べて街を歩いた。だまって二人で歩いているだけで、生きていることはすばらしいと思う。ぼたん雪が静かに降っていた。降っては、三月の舗道に消えて行く。

二人で小さなレストランに入った。

「ぼくは母一人、子一人の家族でしてね。おやじは、ぼくが大学一年の時に、突然脳溢血(のういっけつ)で死んだんです」

先生は、わたしのことをいろいろご存じなのに、わたしは驚ろくほど先生のことを知っていなかった。

「おやじは、商社の一サラリーマンでしたからね。もともと、金には縁がないんです。おやじが無理をして、大学に入れてくれたのですが、それがポカッと死んだものですから、おふくろも洋裁店に勤めたりして、苦労したんですよ」

先生は、大学院に残りたかったが、経済的な事情で仕方なく、私立だがこの石狩病院に勤めたのだという。先生は、博士になりたいのだと言った。

「ぼくは博士になんかならなくてもいいんですが、やっぱり死んだおやじや、苦労したおふくろのことを考えますとねえ」

杉井田先生の、幾分憂鬱そうなまなざしの原因がわかったような気がした。わたしは、先生を大学院で勉強させて上げたいと思う。わたしには、父から贈与された三十万円の定期預金のほかに、高校を出てから貯めた小遣いや、アルバイトのお金が八万円程ある。先生が必要なら、いつでも使ってほしい。

先生は、わたしを病院の近くまで送って来てくださった。すっかり暗くなった病院の庭で、先生は立ちどまった。顔が近々とすぐそばにあった。エレベーターの中で、わたしの背におかれた先生の手の感触が甦（よみがえ）って、わたしは体を固くした。でも、先生はわたしの手をしっかり握って、

「また会ってくれますか」

と言っただけだった。影のように立っている先生を、幾度もふり返りながら、わたしは帰って来た。

あたたかい夜だ。窓をあけて、わたしはぼんやりと三月の夜空を見上げた。ぼんやりと空を見上げるということも、この人生において、かなり貴重なひとときではないだろうか。

民子さんが活けてくれたのだろう。黄色い水仙が机の上の一輪ざしに可憐だった。

三月十日　火曜　くもり

　夕食後、芙佐ちゃんの部屋に遊びに行ったら、厚い本を開いて、耳鼻科からこの頃内科に移った沢田柳子さんと何か話していた。沢田さんは、おしろい気のない知的な人だ。この人の白衣は、他の人よりずっと真っ白な印象を受けるのは、人柄のせいだろうか。

「河上肇（かわかみはじめ）っていう人は、父親について、何ひとつ悪い思い出を持っていないんだって。子供から見た父親なんて、欠点だらけなのが当り前なのにねえ。これは、父親が偉かったのか、河上肇が偉かったのか、あなたならどっちだと思う」

　芙佐ちゃんが言うと、沢田さんがちょっと考えてから言った。

「たしか、河上肇のおとうさんは、二度も離婚してるはずよ。それほど偉い人には思われないわ」

「でも、それはね、河上肇のおばあさんが、きつかったからじゃない?」

　河上肇については、京大の教授でマルキストだったぐらいの知識しか、わたしにはない。二人は身近な人の話でもするように、かなり詳しく話し合っていた。

「准看の問題もそうだけど、配膳の小母さんたちの待遇だって、もっと真剣に考えるべきよ」

沢田さんはそんなことも言った。わたしや民子さんのように、自分の恋愛のことだけで胸が一杯というのとはちがった、ひとつの青春をわたしは感じた。

人間にはいろいろな生き方がある。そう思いながら、黙って二人の話を聞いているうちに、芙佐ちゃんが急にわたしに言った。

「お千香、栄養士の本間キヨ子さんのこと聞いた?」

本間さんは釧路(くしろ)から来ている、いつも濃厚な化粧をしている栄養士だ。口の悪い患者が、おかずがおしろい臭いと悪口を言っているけれど、院内で十指に入る美しい人だ。

「本間さんがどうかしたの?」

「何だ、まだ知らないの。杉井田先生に、この頃モーションをかけているっていう話じゃないの」

初耳だった。

「杉井田先生と、あんたの噂が姦(かしま)しくなったんで、ジェラシーもあるかも知れない。お千香みたいな清純派は、のんきで困るよ。まごまごしていたら、本間さんにあの先生をさらわれてしまうよ」

芙佐ちゃんはじれったがった。

柳子さんは、そばにあった本をぱらぱら開いていて、そのいかにも私的な生活には無関心だという態度が、わたしの心を惹いた。

「男って、気が多いんだからね。そうそう、気が多いといえば、民ちゃんが加沢先生と妙だっていう話も聞いたわ。ばかだよ彼女は」

芙佐ちゃんは、音を立ててせんべいを食べながら言った。

三月十三日　金曜　晴

就寝前、民子さんと浴場に行った。民子さんの体が、少しやせたようだ。肌の色も少し黒ずんでいる。看護学校の生徒が五、六人入っていた。

白い湯けむりの中に、若い女が首を曲げて肩をこすったり、ちょっと斜めに足を出して、ふくらはぎを洗っているのは、匂やかな美しさがある。けれども、画集で見る裸婦のような美しい人には、めったに会わない。

ふと民子さんが、わたしの背をつついた。

「なあに」

「きたわよ、きたわよ」

民子さんがささやいた。戸口のほうを見ると、栄養士の本間さんが、内股(うちまた)をきっちりと合わせてしとやかに入って来るところだった。少し胴長だが、小麦色の引きしまった体をしている。ただ顔だけが化粧で白いのが、妙にかなしい感じだった。

本間さんは、わたしを見るとハッとしたようだったが、ちょっと会釈をして、一番遠い隅のほうに行ってしまった。たしかに強敵だと思った。

生徒たちの話声が、浴場の中に賑やかに反響している。

「今日は十三日の金曜日よ」

「なぜ十三日の金曜日が悪いの」

「知らないわ。西洋の迷信でしょ」

「何でも、金曜日にキリストが十字架にかかったんですって」

「あんた、仏滅に結婚する？」

「仏滅もいいじゃない。式場がガラガラですってよ」

わたしたち女の子の話は、結局は結婚と結びつくのだろうか。ひょいと本間さんのほうをむいたら、彼女の鋭い視線にぶつかった。

三月十九日　木曜　晴

昨日、一昨日の雨で、庭の雪がずい分とけた。詰所の花びんに猫柳がさされてあるのもうれしい。また春がめぐって来たのだ。

おひる休みだった。他の看護婦たちが食堂に行ったあと、詰所の窓から何気なく下を見おろすと、栄養士の本間さんが中庭に立っていた。陽を浴びているのかと眺めていたら、杉井田先生が通りかかった。わたしは思わず息をつめた。本間さんがうれしそうに会釈をした。

杉井田先生は足をとめて、タバコに火をつけた。本間さんが何か言い、杉井田先生が首を横にふった。先生の白衣に何かついていたのだろうか。本間さんが口に手を当てて笑いながら、先生の肩を払ってやっている。

本間さんが小首をかしげて、庭の一隅を指さした。白い小さな猫が、日なたぼっこをしている。先生がそばに行って猫を抱いた。本間さんが、先生の腕の中の猫をなでている。先生がひょいと腕時計を見た。本間さんが何か言った。先生は二、三度うなずいて、猫を本間さんに手渡し、向いの外科病棟の廊下に入って行った。

三階までは、二人の会話は聞えない。わたしは何とも言えないジェラシーを感じながら、
聞えないはずの会話が聞えたような気がした。

「やあ、ここにいたの」

「ええ、先生がいらっしゃるのをお待ちしてましたの」

「まさか、そんなことはないでしょう」

先生が首を横にふる。

「あら、肩に何かついていますわ。あら、髪の毛ですわ」

「ありがとう。よく気がつくんだね」

「まあ、かわいい子猫」

「猫が好きなの。じゃ、連れてきて上げよう」

わたしは、本当にそんな会話を聞いたような気がした。

序　章

一章

三月二十日　金曜　くもり

「孤独を愛する」

これほど大嘘で、また真実な言葉はない。けれども、孤独ってふしぎな言葉だ。多くの人の心を惹く言葉なんて、崇高なのか、卑しいのか、何だか媚(こび)を含んだ女みたいな感じがする。

いまのわたしの気持をありていに言えば、昨日のひる休みに杉井田先生と栄養士の本間さんが、親し気に話していた姿が気になってならないという、ただそれだけのこと。何も孤独などという言葉を、意味深げに書くことはなかったのです。

三月二十一日　土曜　春分　雨

絹糸のような雨が降って、一日裏の円山（まるやま）も煙っていた。

六号室に、服毒した青年が入院した。七転八倒どころではない。ベッドの上で百転百倒の苦しみようだ。びんに白髪の見える小柄な母親と、ほっそりした姉らしい人が、おろおろと涙を浮かべていた。

「結婚披露の案内状まで出してから、相手が妊娠しているとわかったのです。死にたくなるのも無理はありませんよ、看護婦さん」

準夜で、ずっと傍（そば）についていたわたしに、母親が言った。苦しさのあまりベッドから落ちそうになる青年を支えながら、その服毒した気持が、わたしには痛いほどわかった。

それにしても、どうして裏切った女が苦しまずに、裏切られた青年が、こんなに死ぬほどの苦しみをしなければならないのだろう。

三月二十二日　日曜　くもり

自殺未遂の大野さんは、今日はすっかり落ちついていた。とにかく助かったのだ。助かって、どんな人生が待っているのか、それはわからないが、しかし生きていることが大事なのだ。

「死ぬより辛かった」

と、大野さんは言った。澄んだまなざしの感じのいい青年だ。建築技師だというが、筋骨のたくましい人だ。そのたくましい腕に注射しながら、どんなに筋骨たくましい男性でも、わたしたち女性と同じように傷つきやすいものなのだと、しみじみ思う。

「あなたは、決して男を裏切る人間にならないでください」

大野さんは、その澄んだ目をちかっと光らせて、真剣な顔になった。わたしは大きくうなずきながら、裏切られることはあっても、裏切る側には立つまいと思った。

消灯前、全部の病室を見廻る。広川さんの部屋をのぞくと、

「ゆうべは大変だったね」

とねぎらってくれる。あんなにドタンバタンと大野さんが苦しんだので、患者たちもみ

んな服毒事件は知っている。

「千香ちゃん。真実な人間ほど、裏切られるものかも知れないね」

　広川さんが言った。

「どうして？　真実な人がどうして裏切られるのかしら」

　おどろくわたしに広川さんは言った。

「例えば、ここに非常に真実な人間がいるとしよう。つまり、誰もその人ほどには真実ではあり得ないんですよ。とすると、裏切るのは真実でない方で、裏切られるのは、真実な人間でしょう」

　そう言われれば、そんな気もする。

「神など、常に人間に裏切られっ放しだろうね」

　神という言葉は、わたしには遠い気がする。だが、その言葉を聞いて、わたしは広川さんが真実な人だという気がした。

四月三日　金曜　晴　草青む

風がひと吹き吹いたら、はらりと落ちてきそうな、やわらかい青空。ことし初めて屋上にのぼる。雪のある間は忘れられていた屋上も、患者たちで賑わっていた。

札幌の街が、うららかな陽の下に輝いている。全くの話、街が輝くと思ったことなど初めてだった。裏の円山は、まだ茶がかった紫に眠っている。芽吹きの前の山も、おだやかでわたしは好きだ。

「そーらは晴れても、こころーは雨だーか。おい、全くいやになっちまうな」

近くにいた患者が、松葉杖でいらいらとコンクリートの床を叩いていた。

わたしの心も晴れてはいない。本間さんと杉井田先生のことが、妙に心にかかってならない。

四月五日　日曜　くもり

　朝、宿舎の洗面所で顔を洗っていると、芙佐ちゃんが来て言った。

「民子は定山渓（じょうざんけい）に行ったんだね」

　洗面所にはわたしたち二人だけだったが、わたしはあたりを見廻してから言った。

「ううん、定山渓じゃないわ。千歳（ちとせ）の家に帰ったのよ」

「ふーん。昨日の夕方、駅前で見たけどなあ。発車寸前の定山渓行きのバスの扉を叩いてさ。やっと乗りこんだのを見かけたよ」

「変ねえ。千歳に帰るって言ってたのよ」

「お千香。民子だって嘘ぐらいはつくだろうさ。都合の悪い時にはね」

　芙佐ちゃんはニヤニヤして、髪にブラシをかけはじめた。

「でも、いやだわ。わたしに嘘を言うなんて」

「いいじゃないか。お千香だって、今に嘘をついて、どこかに誰かと出かけるようになるかも知れないよ。それにしても、民子もおちたねえ。加沢なんかにまるめられてさ」

　芙佐ちゃんは、ちょっと黙ってブラシをかけていたが、

「民子は
ゆれて　ゆれて
誰かの　腕の中」
と鼻うたをうたいはじめた。鼻うたを聞いていると、民子さんのことを悲しむ思いが、じーんと伝わってくるようだった。

わたしは、昨夜民子さんが、仕立上りのチェックのスーツを着、何べんも鏡の中をのぞきこんで出かけたことを思い出していた。あのかわいい桜んぼのような唇に、どぎつい程口紅を塗って。

夜になって民子さんが帰って来た。

「やっぱり、家っていいものねえ」

わたしは知らんふりをして、ジイドの「背徳者」を読んでいた。民子さんは黙った。ふり返ると、レインコートも脱がずに、畳の上にぺたりと横ずわりにすわっていた。

「千香ちゃん、わたし本当は家に帰らなかったのよ」

民子さんは、もの悲しい程にかげった声で言った。

「知ってるわ。定山渓に行ったんですってね」

「あら知ってたの？　どうして」

「芙佐ちゃんが見たんですって。あなたがバスに乗るところを」

「まあ、いやだわ。芙佐ちゃんに見られたの」

　民子さんは、ちょっと身をよじった。変になまめかしい身のこなしをする。背中にジンマシンができそうだった。民子さんは、加沢先生の前でこんなふうに身をくねらすのだろうか。

一　章

「加沢先生と行ったの？」

「決まってるじゃない。わたし、あの先生が好きなんだもの」

　ふいに開きなおるように言った。

「なぜ嘘を言って行ったのよ」

「ばかねえ、千香ちゃん。あの先生と二人っきりの、誰も知らない世界をつくりたいっていう気持、わからない？　それが恋というものよ」

　民子さんはうっとりとした目でわたしを見たが、レインコートを脱ぎ、マフラーをはずして、くるりと背を向けた。

「ねえ、うしろの首のあたり、キスマークがついていない？」

　うつむいて、形のいい首をのばしてみせる。わたしは侘しくなった。

「ついているわよ、二つも三つも」

「あーら、困ったわ。本当？」

うれしそうな声を上げ、鏡台の前で手鏡を合わせている。首には何もついてはいないのだ。

何だか民子さんは、恋をして豚になってしまったようだ。

〈地味のよい土地には雑草が生える〉

という言葉もあると思いながら、わたしは民子さんを眺めていた。

四月七日　火曜　晴

午後、氷枕の水を捨てに洗面所に行くと、沢田柳子さんが広川さんの髪を洗っていた。患者の頭を洗うのはナースの仕事だから、別にどうということもないはずなのに、わたしはふっと淋しくなって入口で足をとめた。

今まで、広川さんの頭は大ていわたしが洗っていた。広川さんも、わたしの洗い方はていねいだと、いつもほめてくれていたのだ。

わたしに気づかずに、二人は話し合っている。

「……そうよ、レーニンだって言ってるわ。ソビエットの革命を、すべての国の理想のように見せかけるのは、こっけいだって」

「そうですね。そのレーニンの目が正しく社会主義国家に受け継がれているか、どうか。そこが問題ですね」

むずかしい話を、二人は楽しそうに話し合っている。わたしは黙って、ぬるくなった氷枕の水をあけた。

「何だ、千香ちゃんか」

乾いたタオルで頭を拭いてもらいながら、広川さんがわたしを見上げた。

「さあ、これできれいになったわ。千香子さん、わたしもう一人洗う人がいるの。広川さんを病室まで連れて行ってくださる？」

柳子さんは、さっさと洗面所を出て行った。床に水滴一つこぼしてはいない。柳子さんって、すばらしいナースだとつくづく思う。

広川さんは重病人じゃないけれど、血圧が低い。頭を洗った時など、目まいを起すことがある。わたしは広川さんについて病室に行き、シーツをのばし、ベッドをととのえた。

「どうしたのです。泣き出しそうな顔をしていますよ」

広川さんはわたしの顔を見て驚ろいた。

「だって、広川さんったら、ほかの人に髪を洗ってもらうんですもの」

わたしが言うと、広川さんはわたしの顔をじっとみて、

「千香ちゃん、ぼくはね、これからいつも沢田さんに洗ってもらいますよ」

と言った。

「どうして？　どうして今までのように、わたしに洗わせてくれないの」

広川さんは何も言わずに、ベッドに横になって目をつむってしまった。淋しかった。ちょうど同室の患者の佐藤さんが散歩から帰って来たので、わたしは部屋を出た。

一章

四月十五日　水曜　くもり

風の激しい一日だった。

なぜか一週間程、わたしは日記をつけなかった。そしてこの二、三日、「わたしは死にたくなりました。みなさん、さようなら」

などと書いて、ふっと行方をくらましたい誘惑にかられていた。本気で死のうとは思っていないのに、何という甘ったれた人間だろう。もしわたしがこんな遺書を残して行方をくらましたら、杉井田先生はどんなふうに心配してくれるか、広川さんはどんなふうに嘆いてくれるか、芙佐ちゃんや民子さんはどんなふうに驚ろいてくれるか、などと想像してみるだけの、つまりは人々の注意をひきたいというあわれな乞食(こじき)根性！

それにしても、人間というものは、人々が自分の行為に注意を向け、驚ろき、話題にしてくれるためなら（名誉のためならなおのこと）死んでもよいほどの気持になるバカなところが、あるのではないだろうか。自殺者のひとつの心理。

四月十七日　金曜　くもり

午後の安静時間、詰所で注射器を洗っていたら、杉井田先生がすっと近よってきたかと思うと、白衣のポケットにさっと紙片を突っこんだ。目にもとまらぬ素早さだ。詰所にいた柳子さんも婦長さんも、全く気づかなかった。トイレに立つふりをして、廊下で紙片をひらいたら、小さなメモ用紙に、小さな字が並んでいた。

〈あしたの土曜の夜、お話ししたいのです。どうしても、このままでは苦しすぎます。午後六時、喫茶ライラックの二階でお待ちしています〉

　とたんに歌い出したいような気持。あの本間さんと、先生の親しげな姿を見て以来、わたしは先生をつとめて避けて来たのだ。廊下で会っても、わたしはいつも堅い表情を見せるだけだったのだ。

　でも、明日からは準夜勤務。残念ながら、デートはできない。

四月二十一日　火曜　雨

風にあおられて、雨がバラバラと終日ガラス戸を打っていた。日勤が終って帰りぎわに、広川さんの部屋に行ったら、真野さんが枕もとで、レース編をしていた。真野さんが広川さんの傍にいるのは、少しもわたしの心をかき乱さない。なぜだろう。

「何だか、日記が書けないの」

と、わたしが言うと、

「裸にならないからですよ。自分自身を日記帳に叩きつけるようにお書きなさい」

と言う。真野さんは、

「人間って、裸になれないものよね」

と同情してくれた。

「それはね、誰かも言っているよ。人間というものは、俺は素直ではない、俺は素直ではないといっている時でさえ、素直ではないものだってね。素直に裸になれたら、それで、もうかなり十分に生きたといえるかも知れませんね」

わたしは広川さんの日記帳を見せてほしいような気がした。

人間って、心の奥の奥まで、本当に書き得るものだろうか。それほどに誠実に生き得るものだろうか。

第一、わたしは本気で誠実に生きたいなんて、思っていないような気がする。万事適当に生きているような気がする。不徹底なのだ。

四月二十五日　土曜　くもり

あしたは杉井田先生と、ドライブ。

日勤を終えて、わたしはスーツを取りに家に帰った。うすいブルーに白い霞がかかったような生地のこのスーツは、最高雰囲気があると思う。

「おや、少し見ない間に、千香はいやに女くさくなったぞ」

とは兄の弁。

「あら、それ女らしいっていうこと？」

「いや、女らしいなどという上品なものじゃない。女くさいっていうのは、何となく生まぐさいということだ」

兄は口が悪い。でも、妹のわたしがかわいくてならないのだ。

「千香はいくつになったかな」

父は会う度に年をきく。

「自分の娘の年ぐらい、覚えておくものですよ」

母に叱られて、父はうれしそうに笑っている。

「あんた、少しは名看護婦になったの」

これは母。母は名人、名医、名優など、上に名の字がつけば、名犬でも尊敬する人間なのだ。

いつ帰っても家はいい。父も母も兄もそれぞれにいい。嫂（あによめ）もいい。でも、こんなに気持のよい家庭の中で、一生死ぬまで暮らしたいとは思わないのだから、ふしぎなものだ。

母と一緒に入浴。母がしみじみと言った。

「千香ちゃん、相変らずきれいな体ねえ。お嫁に行くまで、きれいな体でいるのよ」

なぜかわたしはぎくりとした。母親の持つ本能的な直感が、何か娘の危機?を感じとっているようだった。この母に、明日は杉井田先生と二人でドライブするとは、なぜかわたしは言えなかった。

一　章

四月二十六日　日曜　晴

少し風はあったけれど、空はよく拭きこまれたように青くて、中山峠から見た真っ白な羊蹄山（ようていざん）は、確かに蝦夷（えぞ）富士の名のとおり、富士山そのままのように秀麗だった。

峠もまだ雪が深く残っていて、白樺（しらかば）林が雪の上に描いたような濃い影を落していた。峠のドライブ・インの裏山に、青年たちが五、六人、春山スキーを楽しんでいる。

わたしを驚ろかせたのは、カラスの美しさ。わたしは、カラスがこんなにも美しい鳥であるとは知らなかった。油をぬったように、つややかな、まっくろい羽。札幌のスモッグの街では、決してみることのできない美しさだった。

ドライブ・インで先生と一緒にラーメンを食べ、再び車に乗った。お友だちから借りた車だという。先生は新道から外れて細道に入り、少し走って車をとめた。

「ここには誰も乗り入れてきませんよ」

日が斜めにさしこんで、社内は汗ばむほどに暖い。ワイシャツをたくしあげた先生の腕が意外に太い。

「西原さん、あなたってふしぎなひとですね」

栄養士の本間さんのことをきいてみたいと思っているわたしに、杉井田先生はしみじみとした口調で言った。

「何がふしぎなのでしょうか」

「だって、あなたってね、ナースの白衣を着ていると誰よりも清らかで、やさしく見えるんですよ。いかにもナースらしい女性に見えるんです」

「まあ」

「ところが、この間一緒に街に出た時は、どの若い女性よりも生き生きと、瑞々(みずみず)しかったし、今さっき、峠の上であの蝦夷富士を見ているあなたは、どこか神秘的で、誰をあの峠におくよりも、ずっとふさわしい女性に思われるんです。実に西原さんって、ふしぎなひとですよ」

杉井田先生は熱っぽく言葉をつづけた。

「あなたって、どこに置いても、誰よりも、その場その場にふさわしくあるひとなんですねえ」

わたしはふっと、ゴリラの檻(おり)に入っても、やっぱりその場にふさわしいのかと、つまらぬことを考えておかしくなってしまった。先生の言葉がおかしかったのではない。ふと目に浮かんだゴリラの檻の中の自分の姿がおかしかったのだ。でも、あまりにまじめな顔で、わたしを讃美(さんび)するんですもの、まだ二十をいくつも過ぎていない女の子というものは、仕方のないものなのです。

たまに国道を行く車の音と、小鳥の声だけの二人の世界。ゴリラの檻のわたしなど、ご存じない先生は、黙って青い空をフロントガラス越しに見つめていた。

「静かねえ」

「静かでしょう」

「先生」

「何です」

本間さんのことが口まで出かかったけれど、わたしは、鈴蘭（すずらん）の花はこのあたりにも咲くのかと、平凡なことを聞いた。ふいに、あたりの空気がぴしっと張りつめたような気がした。先生がじっとわたしをみつめている。わたしは急に、少しの身動きもできないような、奇妙な胸ぐるしさを感じた。

先生は、ひたいに下っていた髪をはらりとかきあげたかと思うと、静かにわたしの肩に手をおいた。体の中をビリリと電気が走ったような感じがした。先生はわたしをそっと抱きよせたかと思うと、

「千香子さん！　いい？」

先生の顔がふいに迫った。わたしは顔をそらした。が、たちまちわたしの唇に先生の唇

が重ねられた。わたしはかたく唇を閉じたまま目をつむった。体がふるえてならない。

「千香子さん、唇をあけるんですよ」

　先生がささやいた。あっという間に、先生の舌がわたしの口の中に奥深く入っていた。長い長い接吻だった。体中の力がぬきとられたように、上半身を保つことさえようやくだった。

「千香子さん！　怒った？」

　先生は、わたしをいつのまにか強く抱きよせていた。わたしはかすかに首を横にふった。先生は、再び長く激しい接吻をした。

「千香子さん！」

　わたしのシートが、静かにうしろに倒された。


　わたしの人生にとって、一生忘れられないこの日のことを、詳しく書いておきたいと思ったが、今日はもう書けない。体の芯が重く疲れている。

　民子さんにも、今日のことは話したくない。恋とは秘すべきもの。そんなことが、ようやくわたしにもわかったような気がする。

四月二十七日　月曜　晴

民子さんが眠っている傍で、日記帳をひらく。静かな夜だ。

昨日のことを書きつづけるべきか否かを迷ったが、昨日のようなことこそ、日記には書くべきだとペンを執った。

一　章

先生がわたしのシートを倒した時、わたしは本能的にはね起きて、ドアを開けようとした。

「いけません！」

わたしはおどろきはしたが、かなり冷静でもあったような気がする。

「どうして？」

杉井田先生の顔が少し歪（ゆが）んでいた。

「あなたはぼくを愛してくれていると思っていた。でも、本当はそんな冷たいものだったんですね」

「冷たいのとは、ちがうんです」

「いや、冷たい人だ」

「ちがうんです。わたし、結婚するまでは、……いやなんです。それに、わたしたちまだ二度目のデートですもの。キスだって早過ぎると思ったのに……」

「君、男と女の愛って、デートの回数と関係ないはずですよ。それに、ぼくたちは同じ病院で、顔は毎日合わせているんですからね。世の中には、一回見ただけで深く愛するっていうことだって、あるでしょう。それとも、君にはぼくの愛が信じられないの」

信じていないということとはちがう。それが先生にはわからないのだろうか。

「西原さん、ぼくはあなたと結婚するつもりなんですよ」

「でも、まだ結婚してはいませんわ」

意気地なくわたしの声はうるんだ。

生まれて初めての接吻で、体中の関節が外れたようにがくがくしているのだ。女のわたしには、それ以上の何も望みはしない。なぜ、それが先生にはわからないのだろう。

先生は口を歪めて、皮肉な微笑を浮かべ、じっとわたしの顔をみつめたまま、タバコにライターの火をつけた。

「わかったよ。君って案外打算的な人間なんだな」

言葉が少しぞんざいになった。わたしの拒絶にあって、自暴自棄になっているようで、辛かった。

「打算的なんて……そうじゃないんです」

「そうかな。しかしね、結婚しなきゃ許さないなんて、ぼくには打算的にひびくよ」

「わたし、ロマンチストなんです。お互にひとつの未知を持っていたいんです」

　先生は黙って、ガラス越しに空を眺めていた。

「わたし、子供なんです。あの結婚式場の白布はバージンロードっていうんでしょう。わたしはあの上を、バージンのままでなければ、歩けないと思っている子供なんです」

　やはり先生は、空を黙ってみつめていた。先生の気持を深く傷つけたようで、わたしは辛かった。

「やっぱり、君のその考え方に、ぼくは女のエゴを感ずるな」

　しばらくして、ポツリと先生は言った。幼いわたしには、まだ男性を愛することと、体をゆるすことが、一つにつながらないのだ。愛するということは、もっと別のことのような気がする。でも、先生にはわかってもらえないのだ。

「わかって頂けなくても仕方ありません。でも先生、わたしは打算的な人間ではないつもりです。わたしの三十万の定期預金と、八万ほどの貯金を、先生のお勉強にいつでも使っていただきたいと思っているんです。あしたにでも、通帳と印鑑をお預けしてもかまいません」

　わたしの言葉に先生はおどろいたように、

「そんなことを言って……西原さん！」

　と、体ごとわたしのほうに向いた。

「いいんです。どうぞお使いになって。わたしはただ、わたしの気持をわかっていただければうれしいんです」

　わたしはお金など、少しも惜しくはない。愛する人に捧げることのできるものがある、ということがうれしかった。

「ぼくが悪かった。そんなにまで思ってくれるあなたの気持を疑ったりして……」

　先生はやさしい微笑を浮かべて、わたしのひたいに静かなくちづけをしてくれた。

　今朝、早速医局の前の廊下で、先生に通帳と印鑑を入れた袋を渡す。先生は気持だけでいいといったが、わたしは手渡した。博士になるためには、いろいろと費用がいると先生はおっしゃっていたのだ。

　朝日が廊下に斜めにさしこんでいて、その光の部分だけ、埃(ほこり)の舞っているのが見えた。その埃の縞目を横切って、わたしは詰所にかけもどった。わたしは一日中、心がうきうきしていた。

「まだ起きていたの？」

　十一時半、民子さんが眠そうに目をこすりながら、不機嫌に言った。いく度もあくびをしながら、身支度をととのえて民子さんは深夜勤務に出て行った。

出がけに、

「何を書いてるの。こんど読ませてよ」

と、わたしの肩越しにのぞきこむようにしていた。民子さんが見たら、笑うようなことしか書いていない。

四月二十八日　火曜　くもり

午後の検温の時、広川さんの部屋に入って行ったら、広川さんは少し熱っぽい顔をしていた。検温してみると、三十七度七分あった。

「どうしたのかしら、このところ熱など出なかったのに……」

と言うと、同室の佐藤さんが

「この二、三日、彼はよく眠っていないんですよ」

と言う。

「どうして眠れないのかしら」

と、わたしが尋ねても、広川さんはじっとわたしを見つめるだけだった。しかし、その悲しみに満ちた深いまなざしに、わたしは思わずハッとした。

「ね、どこか悪いの？」

と言うと、広川さんは小声で言った。

「千香ちゃん。自分を大事にしてくださいよ」

何のことかわからない。広川さんって、時々わからないことを言う。真野さんに言わせると、それは、広川さんが詩的な鋭い感覚に富んだ人だからだそうだ。

四月三十日　木曜　雨

一体どういうことなのだろう。わたしにはわからない。いや、わかりたくない。が、わからなければならない。

今日、ひる休みに売店に牛乳を買いに行ったら、栄養士の本間さんにばったり出会った。本間さんは低い声で、しかし、はっきりと言った。

「西原さん、杉井田先生とドライブなさったんですって？　あの先生の運転お上手でしょう。でも、あまりお近づきにならないほうが、いいと思うわ」

わたしが返事をする前に、本間さんは紙包みを胸に抱えて、すーっと離れて行った。わたしは呆然として本間さんのうしろ姿を見送った。

わたしと杉井田先生がドライブしたことを、民子さんさえ知らないのに、なぜ本間さんが知っているのだろう。わたしは目まいがしそうだった。

虚(むな)しい。むなしい。ムナシイ。ＭＵＮＡＳＨＩＩ。むなしいという字はどう書くのだろう。別にむなしいという字があるような気がする。幽霊のように影のうすい、ぼんやりとした字が。

「あの先生の運転、お上手でしょう?」

本間さんは言った。もしかしたら、本間さんはあの車の中で!?……いやだ。いや! いや!!

一　章

二章

二　章

五月一日　金曜　晴　風強し

風が一日吹きまくっていた。きっちりと窓をしめきっていたのに、部屋の中はざらざら。ちょうどわたしの心のように。

本間さんは、なぜわたしが杉井田先生とドライブしたことを知っているのか。

「あの先生、運転がお上手でしょう」

といった時の、あのうす笑いを浮かべた唇が目に浮かぶ。

もしかしたら、あの人は何もかも知っているのではないか。キスをしたことも。杉井田先生が、もしそのことを語ったとしたら……。先生がそんな人なら、わたしは嫌だ。

今日はメーデーで、柳子さんや芙佐ちゃんは、赤い風船を持って、メーデーの行進に出て行った。

五月二日　土曜　晴

明日から深夜で、今日は休み。うちに帰る気にもなれない。寮にもいたくない。一人で裏の円山（まるやま）に行く。桜はまだ。杉木立の小ぐらいような坂道を通って、円山の動物園に行ってみた。明るい日の下に、子供づれの夫婦が多かった。

母猿が子猿のノミを取っていた。動物はいい。彼らはわたしのよしあしをいわないし、わたしもまた、動物に自分をわかってもらいたいと期待していないからなのだろう。といって、人間がこんなにもわたしに無関心なら、到底耐えられないだろうに。

杉井田先生と本間さんの顔が目に浮かぶ。それでも、動物たちを見ているうちに、幾分気がまぎれて、

「愛という言葉の葬式をしたい者、集まれ！」

といいたいような気持になっていた。

五月四日　月曜　くもり

柳子さんと二人の深夜勤務。重患がいないから、仮眠しようと柳子さんがいう。二人で詰所のソファに横になった。

「広川さんって、いい人ね」

ぽつりとそういって、柳子さんは目をつむった。わたしは少し胸が波立った。広川さんはいい人だ。わたしをそのまま受けいれてくれる。その名のように広い人だ。広川さんは、わたしにやさしいように、柳子さんにもやさしいのだろうか。

五月六日　水曜　小雨

深夜勤務。詰所に行ったら、杉井田先生がカルテに何か記入していた。七号室の患者が急にヘルツに異常を来たしたが、もう落ちついたと、準夜のナースから引きついだ。

杉井田先生はちらっとわたしの顔を見、片目をつむってみせた。

カルテを書き終っても、杉井田先生は当直室には行かずに、詰所にぐずぐずしていた。患者が心配だと先生はおっしゃる。柳子さんはさりげなく、処置室のほうに行った。彼女は気を利かしたというような顔はしない。

「先生、先生と中山峠に行ったこと、どうして本間さんがご存じなのかしら」

わたしはやはり聞かずにはいられずに、注意深く先生の顔を見ながらいった。

「ああ、本間くん、君にそんなことといったの?」

先生は顔色も変えない。

と、いいかけると、

「どうしてあの人に、ドライブのことなど……」

「いや、本間くんがね、ゴールデンウイークに一日ぐらいつきあえっていうものですからね。

ぼくは、千香子さんと中山峠にドライブしたから、ゴールデンウイークは、誰ともどこにも行かないといったんですよ。彼女むくれてましたがね。こういうことは、はっきりしておいたほうがいいでしょう」

「でも、本間さんは先生の運転お上手でしょうって、いってらしたわ」

「それは、同乗しなくても、見ればわかることですからね」

先生はさらりとしていた。何のくもりもないまなざしに、ひとりむなしいむなしいと思っていたことが、急におかしくなる。叫び出したいような嬉しさだ。

さっきまで、一人の患者が危機に陥っていたというのに、叫び出したいほどうれしいなんて、何というナースだろう。

先生と一緒に、七号室に行く。患者は落ちついて眠っていた。詰所に帰る途中、先生はわたしの手をとって、暗い階段に外れた。病室からも、廊下からも見えない階段で、先生はわたしを痛いほど強く抱きしめた。そして息ぐるしいような接吻。先生の指が胸にすべりこもうとする。

「いけません。勤務中です」

わたしは辛うじて避けた。

詰所に帰っても、顔がほてっていた。柳子さんは、仮眠の毛布にくるまって、休んでいた。

二　章

「君はぼくだけのものですよ」

熱っぽい先生の声が、耳の中でいつまでも鳴っていた。

五月七日　木曜　晴

今日で深夜あけ。九時半から十二時半までぐっすり眠って職員食堂に行く。

「ようお千香、何をニヤニヤ笑ってる」

ラーメンを食べていた芙佐ちゃんが、大きな声でいった。そばで民子さんが、カレーライスについている福神漬を、一つ一つ箸にはさんで口に入れている。民子さんはカレーライスもスプーンでは食べない。さくらんぼのような小さな口では、スプーンは入らないのだろう。

「ゴールデンウイークは彼氏のいるナースと、いないナースはすぐにわかって、おもしろかったな。いない子は、しけた顔でしょぼしょぼしてるし、いる子はへんにそわそわニヤニヤでさ。お千香はゴールデンウイークが終ってもニヤニヤしてるよ」

芙佐ちゃんは悪い人じゃないけれど、声が大きい。みんながわたしのほうを見ているようで、わたしはうつむいていた。

「本間さん近々にやめるらしいわね」

わたしがうつむいたまま、カレーライスを食べていると、芙佐ちゃんはラーメンの汁を、ずずっと音立てて飲み、こんどは低い声でいった。

「あら、ほんとう?」

とたんに、わたしは食欲を失った。

なぜやめるのだろう。彼女の退職と杉井田先生と、無関係ではないような気がする。芙佐ちゃんはガラガラした性格だけれど、人のことで、でたらめはめったにいわない。地獄耳といわれるほど、耳は早いのだ。

二　章

何となく胸につかえができたような気持で部屋へ戻ると、柳子さんが訪ねてきた。深夜勤務を五日間二人で組んで、わたしは柳子さんがますます好きになった。仕事はテキパキとしているし、気分にムラがない。人の悪口や、つまらぬうわさ話などせず、さらりとした人だ。それでいて、いつも相手の働きやすいように、気を配ってくれている。

「裏の神社に、桜が咲いていたわ」

と柳子さんがいった。

「行ってきたの?」

「おひるやすみに、広川さんと行ってきたのよ」

「広川さんと?」

わたしは思わず咎めるようにいった。

「そうよ。散歩の許可が出てるのよ。一週間前から」

　それは、わたしも知っていた。けれども、深夜あけの柳子さんが、広川さんと神社まで行ったことに、わたしは平静ではいられないのだ。

「柳子さんは、広川さんのお気に入りね」

　というと、柳子さんはおしろいっ気のない肌理のこまかな素顔に微笑を見せていった。

「と、いうより、わたしが広川さんを好きなのよ」

「好きなの？」

　わたしは胸の芯がへんに痛かった。

「好きよ。あなたと杉井田先生、わたしと広川さん、どちらもめでたくゴールインしたらいいわね」

「本当ねえ」

　柳子さんが帰ったあと、わたしはまた布団を敷いてねた。深夜あけだから、一日一杯眠りたいはずなのに、一向に眠くない。わたしにとって、広川さんは何なのだろう。杉井田先生さえわたしのそばにいるのなら、広川さんは必要ではないはずなのに。吾ながら不可解な心理。

五月十日　日曜　小雨

朝から一日中小雨。真っ黄色い雨でも降るがいい。そんなことをいってみたいような、どこか心の中が荒れているようなわたし。

本間さんのこと、杉井田先生のこと、広川さんのこと、柳子さんのこと、誰のことを考えても、心が落ちつかないのだ。

広告紙の裏に、マジックペンで汽車の絵をかいてみる。まっくろい蒸気機関車に曳かれた長い長い貨物列車。一台目に豚、二台目に鶏、三台目に山羊(やぎ)というように、動物たちをのせた、動物の修学旅行なのです。彼らは世界一周に出るのです。でも、再び帰ってきた時は、一羽の鶏も、一頭の豚もいませんでした。なぜでしょう。みんな、途中あちこちのレストランで、人間共に食われてしまったのです。こう書くと、人間の残酷さが感じられはしませんか。世界中で、たくさんの牛や馬や、鶏がバリバリと人間共に食われているのです。

こんなことを書いてみても、何か落ちつかない。誰かのかき鳴らすギターの音が、どこからか聞えてくる。

五月十五日　金曜　くもり

「五月って、すてきね。ゴールデンウイークがあるし、K大学の大学祭があるし……」

　民子さんは、新調のうすいグリーンのイブニングドレスを着ながら、浮き浮きしている。そういえば、明日はすぐ近くのK大学の大学創立記念日なのだ。わたしたち石狩病院の職員たちに一人残らず案内状が来ている。

「すてきよ、民子さん。まるで若葉の精みたいよ」

　いつも濡れている赤い小さな唇が、いつもより一層生き生きしている。この間のゴールデンウイークには、妙に浮かない顔をしていたのに。

「これを着て、K大学のダンスパーティーで踊るのよ」

　民子さんが、ぐるぐるっと廻ると、人が三人ぐらい入れるほどに、スカートが大きく広がった。

「あら、加沢先生ダンスをなさったかしら」

　いつも蝶ネクタイをして、キュッキュッと靴を鳴らして歩いているけれど、加沢先生のダンスをしている姿を見たことはない。

「加沢先生？　いやねえ千香ちゃん。わたしもうあんな気障な人種、大きらいよ。わたしは、レントゲンの種岡先生と踊るのよ」

民子さんは目をきらきらさせている。

「じゃ、加沢先生は？」

「四月限りでおさらばよ。あんな奴！　もう前世のできごとよ」

民子さんはピクリと眉をあげた。あんなに熱中していたのに、いつ、どこで、どうして嫌いになったのだろう。

「でも、あんなに熱を上げていたのに」

「今は大きらいよ。好きというのは嫌いの裏返しよ。好きな人が嫌いになり、嫌いな人が好きになる。それが人生のおもしろさよ」

その時、その時が真実よ、と民子さんは鼻唄まじりにいう。きっと、民子さんは加沢先生によって、何か深い傷手（いたで）を受けたにちがいないのだ。それにしても、もう次の相手が決まっていようとは。いや、それだけに傷は深いのかも知れない。

「わたしね、いつも恋をしてなきゃ、落ちつかないのよ。わたしを愛する男が、いつもわたしのそばにいてくれれば、それでいいの。何も、あんな加沢でなければならない理由はないのよ」

そんなものなのだろうか。

「ね、千香ちゃん。わたしたちは若いのよ。愛する男性が次々に変るのは、わたしが成長している証拠なのよ。ね、そう思わない？」

（成長ねえ！）

レントゲンの種岡先生は加沢先生より評判が悪い。いつか、わたしが患者のレントゲン写真をもらいにレントゲン室に入ったら、撮影中の赤ランプをつけた。赤ランプ中は、誰も入室できない。こうしておいて、いきなりわたしを抱きしめようとした。わたしが悲鳴をあげると、

「冗談だよ、冗談だよ」

と、あわてて手を放した。あんな先生がお相手とは、民子さんもまったく成長したものだと悲しくなった。

五月十六日　土曜　うすぐもり　時々晴

夕方、K大学の大学前夜祭に、わたしは柳子さんと二人で出かけた。柳子さんは、スラックスにえんじのセーター。わたしはクリームに黒のチェックのワンピース。

広い構内には、木の幹や電柱に「沖縄を返せ！」「北方領土返還！」「打倒内閣」などのビラがベタベタと貼ってあり、「ジンギスカン一人前、一九九円」などと紙をはった赤白のマンマクがめぐらされていたりした。

アジ演説を、単調な語調で、いつ終るともなくマイク片手に語りつづけている学生、白いエプロン姿で、かいがいしくジンギスカン鍋の給仕をしている男女学生、ガールフレンドと腕を組んで芝生にすわっている学生。それぞれが青春の日のひとこまなのだ。

民子さんはグリーンのドレスを着て踊るのだろうけれど、一体どんな思い出として残るのだろう。何だか、彼女の新調のドレスが踏みにじられるようで、たまらなくなる。

柳子さんは、時々学生たちに声をかけられる。

「顔が広いのね」

というと、

「デモの時の仲間よ」

といった。学習会にも出ているらしい。柳子さんのおしろいっ気のない、すべすべした顔の何とさっぱりしていることだろう。

構内の屋台でおでんを食べたあと、柳子さんに誘われて講堂に入り、「小林多喜二の文学」という講演をきいた。講師はK大学の助教授で、新進の文芸評論家だという。青年の熱情を失わない話しぶりに好感を感じる。二、三列前に、内科の原田先生と、外科の進藤先生が熱心に話を聞いていた。二人ともまじめな先生だ。加沢先生や種岡先生とはちがう。

講演が終ると、柳子さんは多喜二の死について興奮していた。わたしは多喜二よりも、有島武郎の作品が好きだといったら、

「あなたはあなた、わたしはわたし。それでいいのよ。わたしも多喜二の作品が一番好きというんじゃないのよ。でも、たった今、彼のことを聞いた二十四歳のわたしとしては、このぐらい興奮してもいいと思うの。わたしは、自分の毎日を完全燃焼させたいという、欲張りなのよ」

と笑っていた。

五月十七日　日曜　晴

昨夜民子さんは遂に帰らず。バカなバカな民子さん。あんなイブニングドレスなどを着て、一体どこに泊ったのだろう。

午後、広川さんの病室に行く。同室の高校生は外出したとかで、広川さんはベッドの上で誰かに手紙を書いていた。検温や注射で、毎日のように顔を見ているのに、ずいぶん会わなかったような気がする。

「やあ、今日はお休み？」

と、広川さんはうれしそうに迎えてくれる。

「準夜なの」

わたしは何だか、思いきり甘えたいような心地だった。

「お手紙書いていたの？」

「ああ、おふくろにね」

広川さんはおかあさんと妹さん一人の家族だときいていた。広川さんのおかあさんって、どんな方なのだろう。働き手の広川さんが入院していては、大変だと思う。会社から給料はまだ半額出ているし、健康保険があるから大丈夫だと、以前広川さんはいっていたけれど。

「あのね。広川さん」

　わたしは杉井田先生のことを広川さんにいいたかった。

「何です？」

「わたし……杉井田先生と中山峠に行って来たわ」

　広川さんは、わたしを見つめたまま、黙ってうなずいた。

「誰にもいっていないことだけど、何だか広川さんにはいいたかったの」

　広川さんはやさしいまなざしをして再びうなずいた。

「わたしは杉井田先生が好きなのに、柳子さんが広川さんと親しくするのはいやなのよ。真野さんと広川さんなら、ジェラシーを感じないのに。どうしてかしら」

　わたしは正直にいった。

「千香ちゃんは、まだ子供なんですね」

　しばらく黙っていた広川さんは、ぽつりとそういって、ベッドにねた。

「子供かしら？　わたし」

「子供ですよ。異性を愛するということが、どんなことか、まだあなたにはわからないんですよ。愛されるということもわからない」

　ふっと、広川さんは淋しい表情をした。

「ね、広川さんは、柳子さんとわたしとどちらが……」

　広川さんは、わたしをじっと見てから、

「柳子さんは大人だし、君は子供ですよ。比較にならない」

といった。

「柳子さんのほうが好きなのね」

　わたしは意気地がなく涙が出そうになった。

「君には杉井田先生がいるでしょう。それでいいじゃありませんか」

　広川さんは、きっぱりといった。

「……だって……」

「千香ちゃん、あれもこれも欲しがるのは、子供ですよ」

　きびしい語調だった。なぜわたしは広川さんが好きなのだろう。しかし、それは恋とはちがう。杉井田先生に対する気持とはちがう。

「千香ちゃん。ぼくは杉井田先生を、あまり人物とは思っていませんよ。はっきりいって、千香ちゃんの純な気持に応えられる人間には思えないんです」

　広川さんはそうもいった。

二　章

部屋に帰ってから勤務に出るまでの間、テレビを見たり、ハンドバッグの中を整理したりした。そしたら、指を千円札で切った。手の切れるような札というけれど、ほんとうに手が切れることがあるのだ。そんなに新しい札でもないのに、うすく血がにじんだ。ふと、札束で切腹はできないものかと、バカげたことを考えて、ぼんやりと空を見上げた。

五月二十一日　木曜　雨

日勤が終って、地下の美容室によった。思いがけなく本間さんがドライヤーに入っていた。美容室のマダムが、

「西原さん、珍らしいじゃない？　さては、今夜おデートね」

と、背中を叩く。

「あら、デートなんて」

思わず赤くなると、

「いいのよ、知ってるのよ。杉井田先生と婚約したんですって？」

「婚約なんてうそよ、全然うそよ」

うわさというもののインチキ性が、うわさされてみるとよくわかる。本間さんがやめるといううわさも、案外全くのデマかも知れないと、わたしはその時思った。ドライヤーをかぶって、つつましく文庫本を読んでいる本間さんを見る。ドライヤーの中では、話声は何も聞えない。それを承知で、

「本間さんなんかに負けないでね」

とマダムはいう。客はわたしと本間さんだけだ。わたしは何だかマダムが嫌いになった。

本間さんは、ドライヤーのスイッチが切れて、鏡の前の椅子にすわった。鏡の中で、わたしの視線と本間さんの視線がぶつかり、二人ともあわてて会釈する。

わたしがドライヤーに入っているうちに、本間さんが美容室を出て行った。

わたしも終って美容室を出ると、本間さんが廊下に立って待っていた。何となくぎくりとする。

「ごめんなさい、こんなところで。わたし、あした限りで、病院を去るつもりです」

本間さんがいった。やっぱり芙佐ちゃんのいったとおりだ。

「本当は、わたし西原さんにいろいろお話したいことがあるんです。でも、何となく機会がなくて、お話できませんでしたわね」

彼女は、濃い美しい眉根をちょっとよせて微笑した。

「うちに帰ったら、ゆっくりお手紙を書きますわ。とにかく、杉井田先生には、これ以上お近づきにならないほうが、いいと思います」

本間さんはそういって、一礼したかと思うと、炊事専用のエレベーターのほうに去って行った。

ガスや水道の管が太く這う天井を眺めながら、わたしは変に胸が痛むのを感じた。

（なぜ本間さんは、やめて行くのだろう）

杉井田先生から離れる気は、わたしにはさらさらない。

「人の一生は　人の思うほど

善くもないし　悪くもない」

たしか、モーパッサンは「女の一生」の中でこういっていた。本間さんのことを思っていたら、この言葉が浮かんできた。

一日雨。夜になって、雨脚が一層強くなり気温が下る。

五月二十三日　土曜　くもり

八号室で検温をしていたら、志野主任が郵便を持って入ってきた。脳軟化症の佐呂さんが、廻らぬ口で、

「カン、ゴフ、サン」

と呼ぶ。主任さんは眉を大仰にひそめてふり返り、

「なあによ」

と咎めるように答える。

「ア、ノ、ナ。テ、ガ、ミ」

「手紙なんてきてませんよ」

佐呂さんは手を横にふり、

「イヤ、テガミ、カ、イ、テ、ク、レ、ン、カ、ナ」

「今、忙しいのよ。手紙書いてどうするのよ」

主任はさっと部屋を出て行った。わたしは余りのことに佐呂さんのそばによって、

「お手紙なら、わたしが書いてあげるわ。おうちに書くのね」

といぅと、佐呂さんは涙を浮かべて、

「ウ、チ、サ、カ、エ、リ、タ、イッテ、カ、イ、テ、ナ」

と、わたしに手を合わせて頼んだ。

佐呂さんは八十二歳。もう、二年も前から入院しているのに、家人はほとんど見舞にこない。排便にも立てない中風の患者は、家人にとっても厄介者なのだろう。これは佐呂さん一人の問題ではない。脳卒中で倒れた患者たちの多くは捨てられている。たまに見舞に来ても、お義理に来るだけで、さっさと帰って行く。

「病院か、姥捨山（うばすてやま）かわからない」

と時々嘆く先生もいるほどだ。しかし、このかわいそうな老人たちに、邪慳（じゃけん）なケースも少なくはない。

広川さんがいつかいっていた。

「看護婦は病人を慰さめ力づけるための存在なのに、病人を軽蔑（けいべつ）し、毛嫌いする看護婦がいますね。身も心も弱っている人に優しくしないで、誰に優しくできるのかなあ」

本当だと思う。人間は、一生にそう度々入院はしない。病人は心が弱っているのだ。やさしくして上げなくてはと、佐呂さんに手紙を代筆する約束をした。

「手紙なんか書いても、見舞になんかきやしないわよ」

詰所で、主任がわたしを笑った。

（われわれはみな、他人の不幸を我慢して見ていられるほど、気が強いのである）

という言葉があったっけ。毎日の新聞やテレビで、わたしたちは殺人や交通事故などの人の不幸を、興味しんしんの目で見、日々、人の不幸を楽しむ人間となりつつあるのではないか。

五月二十五日　月曜　くもり

二　章

特別室に、粟巻可奈子さんという細面の、美しい女性が入院してきた。特別室は、バス、トイレつきで、電話と応接間もついているホテルのような豪華な部屋だ。一日七千円の室料なのに、結構、会社の社長や重役などが使っている。

けれども、女性のしかも若い患者が、この部屋に入院するのは珍らしい。病名は敗血症だが、それほど重症ではないらしい。この特別室は、医長と杉井田先生が係と決まった。

詰所の看護婦めいめいに、箱入りのハンカチが配られた。主任さんは、

「すごいわ。麻のハンカチよ。そうそう買えるものじゃないわ」

と、用もないのに、特別室に幾度も出入りしている。佐呂さんの代筆をするひまぐらい、いくらでもあるのに。

五月二十六日　火曜　晴

今日は広川さんのお誕生日。

綿あめのような雲がひとつ浮かんでいるだけの、いかにも広川さんのお誕生日らしい、さわやかな青空。

わたしは、紫のぶどうのフランス刺繍(ししゅう)をした枕カバーと、ローヤルゼリー入り蜂蜜をお祝いに持って行った。広川さんは、少し血色のよくなった手で、刺繍したぶどうの一粒一粒をなでながら、幾度も「ありがとう」「ありがとう」といってくれた。

そこに、真野さんがレムブラントの画集をお祝いに持って、入ってきた。

「ほう、レムブラントか」

広川さんがうれしそうに声をあげた時、わたしは、はじめて真野さんに嫉妬を感じた。わたしは、広川さんがレムブラントを好きだなんて、知らなかったのだ。

柳子さんは何をプレゼントしたのかと、気になって聞いてみたら、

「あら、今日が誕生日だったの」

と驚ろいていた。何となくほっとする。こんなことでほっとするなんて、何といやな根性。

五月三十日　土曜　くもり

深夜勤務今朝で明ける。帰ろうとすると、杉井田先生と廊下でばったり会う。

「君、今日で深夜は終りでしたね」

よく覚えていてくださる。うなずくと、

「今日おふくろに会ってもらえませんか？　ちょっと折入って相談があるんです」

という。先生は、靴も背広も新調していた。わたしの視線を感じたのか、弁解するように先生はいった。

「君の、あの貯金から、悪いけれど借りたんですよ。君と歩くのに、ぼくも少しはパリッとしていたいですからね」

「いいんです。あれは先生に差上げたんですもの。ご自由にお使いになって」

わたしは満足だった。

寮に帰って、わたしはすぐに床を敷いた。ゆうべは深夜だったけれど、充分に仮眠を取っていた。だから、あまり眠くはない。それでも、とろとろとしているうちに、いつしか寝入ったらしい。目が覚めたら、午後三時を過ぎていた。

今日から準夜の民子さんが、畳の上に腹這いになって、マンガの本を読んでいた。

「ねえ、種岡先生って、凄（すご）いのよう。わたし、くたびれちゃった」

民子さんは、とろんとした顔を向けた。

「民子さんの生き方は、どうも危っかしいわ。赤ちゃんでもうまれたら、どうするの」

「いいじゃない？　好きな人の子をうむなんて、楽しいじゃない？　放っといてよ」

わたしは、きりっとした恋愛をしたいと思う。愛することと、すべてを簡単にゆるすことは別だと思う。ここまで書いて、わたしは先生の待っている三越前に出かけることにした。

三章

三　章

五月三十一日　日曜　雨

昨夜午後六時、杉井田先生の待っている筈の三越前に出かけたが、杉井田先生の姿は見えなかった。

「おふくろに会ってもらえませんか。折入って相談があるんです」

たしか、先生はそうおっしゃったのだ。

六時を十分過ぎても、二十分過ぎても、先生の姿は見えない。

三越は札幌に一つしかない。約束通り三丁目の角で、わたしは待っていたのだ。絶えずたくさんの人波が、押し寄せるように十字路を渡ってくる。だがその中に、遂に杉井田先生の姿を見ることはできなかった。わたしは、七時半までの一時間半、約束の場所にむなしく待っていた。

（交通事故にでも⁉……）

急に不安になったわたしは、先生の家に電話をかけてみた。コールサインが鳴るばかりで、誰も出ない。留守なのだ。

もし、わたしに会うために出かけて、先生が交通事故にでもあったらどうしよう。念のために、警察に事故を問い合わす。今夕は事故がないとの返事に、一安心。

でも、どうして先生は、三越の前に現われてくださらなかったのだろう。

十時頃、寮からもう一度先生の家に電話をかける。やはり留守。気がかりのまま眠る。

今日は日勤。医師は日直医以外お休み。ひる杉井田先生から電話がきた。

「ゆうべ、どうして来てくれなかったの」

　と、少し不機嫌な声。

「あら、わたし七時半まで、三越の角に待っていましたわ」

「え？　三越？　ぼく、マルイって言ったつもりですけれどね……」

「三越っておっしゃいましたわ」

　先生は機嫌のいい声になって、

「そうですか。自分ではマルイと言ったつもりなんですよ。いや、これは失敬。ぼくも七時までマルイの前に待ってたんですよ。君は七時半まで？　それは申し訳ない」

　仕方がない。男の人はデパートに馴染(なじ)みがないのだもの。でも、ほんの二百メートルのところで、わたしも先生も、お互をまっていらいらしていたなんて、何かこっけいな気もする。

六月一日　月曜　雨

「ぼくが好き？　ほんとうに好き？」

　モーツァルトは、幼い日に十ペンも二十ペンも、自分の周囲の人に尋ねたという。わかるわ、幼いモーツァルトちゃん。わたしは今、あなたと同じ気持なの。

「わたしが好き？　ほんとうに好き？　ね、杉井田先生」

六月四日　木曜　くもり

ふいに、空気が鉛に変ったような、暗うつな気持。

午前、特別室の栗巻可奈子さんに点滴注射をする。

「西原さんが一番注射がお上手ね」

可奈子さんがほめてくれる。

「感じも一番いいって、可奈子が申しますのよ」

可奈子さんによく似た、色白の、背のすらりとした和服姿のおかあさんもほめてくれた。

ナースたちは「栗巻夫人」と呼んでいる。二十三歳の娘がいるとは信じられないような、瑞々(みずみず)とした肌。

「われわれと、食物がちがうのよ」

主任がそう言っているほどの肌である。

わたしは、この母と娘にあまり関心を持っていなかった。応接室、バス、トイレつきの豪華な特別室に入院しているいいご身分の人より、もっと、心にかけてあげなければならない患者がたくさんいるからだ。だが、こうしてほめられると、わたしはやはり悪い気持はしなかった。

「ね、西原さん。わたし、あの主任さんって大嫌いよ。変な猫なで声で、何かご用はありませんかって、一日に幾度も部屋に入ってくるの」

わたしと同じ年の可奈子さんは、甘えるように言った。

「この子は、人の好き嫌いが激しくて困りますの。医長さんより、杉井田先生が好きですし」

「うそよ！　杉井田先生を好きなのはママでしょ。この間の土曜の夜、ママは杉井田先生とデートしてきたじゃない」

「デートじゃございませんよ。街でバッタリお会いしたのですよ。ちょうど六時頃でしたし、ちょっとホテルへお夕食にお誘いしたんですよ。いつもお世話になっておりますもの、当然ですわね、西原さん」

わたしは答える言葉がなかった。顔のこわばるのをどうしようもなかった。辛うじてさり気なく時計を見、二時間したらまた来ると言って部屋を出た。

何ということだろう。杉井田先生は、わたしが七時半まで待っていたあの土曜日、栗巻夫人と二人で、ホテルで夕食をとっていたのだ。

六月五日　金曜　雨

今、一番ほしいものは何かと、神さまがわたしに尋ねたら、わたしはこう答えるだろう。

「男のない世界を賜りとう存じます」

六月六日　土曜　晴

ふいにすべてが、ばかばかしくなる。空が青いことも、風が吹いていることも、木々が緑におおわれていることも、ライラックの花が香り豊かに咲いていることも。

何だか、ふきだしそうにおかしいのだ。みんな、あまりに真当（まっとう）すぎやしませんか。こんなことを言った詩人がいたような気がする。

杉井田先生を見ると、わたしは顔をそむけたくなる。口も利きたくなくなる。が、わたしは少しも変らぬ態度で、三日を過した。先生は廊下で会った私に言った。

「君、今夜、つきあってくれる？」

もの憂げなまなざしで、じっとわたしを見つめている。

「わたし、先約があります」

わたしはきっぱりと言った。

「先約？」

先生は不安そうに、わたしの顔を見た。

「先生だって、栗巻夫人と、またお夕食のお約束があるんでしょう」

ハッと驚ろく先生を置き去りにして、わたしはさっさと詰所にもどった。やがて先生も詰所に入ってきたが、わたしは知らぬ顔で、婦長や柳子さんたちと、注射器の消毒をしていた。先生は、カルテを見たりして、詰所の中で少しうろうろしていたが、また出て行った。

三　章

六月八日　月曜　くもり

厚い雲が、手をのばせば触れんばかりに下っている。このまま、永久に太陽など出ないがいい。人間どもには、重苦しいほどの低い空が似つかわしいのだから。

死にたいと書いたら、何か嘘を言っているような気がする。生きたいと書いたら、何だかこっけいな気がする。そんな今のわたしの状態。

準夜出勤。少し早く寮を出て、広川さんのところに行く。

「早いですね、もう出勤?」

広川さんは枕もとの置時計を見た。バンガロー風の、小さな三角の時計である。まだ午後四時半だった。

「あら、かわいい時計ね」

と、手にとると、広川さんが言った。

「柳子さんのおみやげです」

この間、柳子さんは洞爺(とうや)のほうに、友人を訪ねて一泊旅行をしたのだ。

「あら、そう」

わたしはあわてて、もとの場所にもどした。

「しばらく遊びに来ませんでしたね」

広川さんは、少し肉づきのよくなった顔を、まっすぐわたしに向けた。何かを敏感に感じとっているまなざしだ。

「……でも、毎日、顔は合わせているわ」

「ナースのあなたとはね。しかし西原千香子さんじゃない」

「そうかしら」

「そう。特にこの何日かは千香子さんじゃなかった」

広川さんは、じっとわたしを見ていたが、

「われを通る者は、憂いの街に至るか」

と、つぶやいた。

「なあに、今の言葉？」

「ダンテのね、『神曲』にあった言葉ですよ」

「われを通る者の、われって誰のこと？」

「地獄の門が言った言葉です」

「地獄の門？」

「そうです。意訳すれば、罪を犯す者は、憂いの場に行きつく、とでもいうことでしょうね。恋は罪ではありませんけれど、恋をする者もまた、憂いの街に至ることがあるかも知れませんよ」

広川さんは何でも知っているのだ。わたしは恐ろしいような気がした。

「広川さんも恋をしていらっしゃるの?」

わたしの言葉に、広川さんは黙って微笑した。わたしも黙って、ベッドのそばにすわっていた。

隣ベッドの高校生の吉田由夫くんは、イヤフォンを耳に入れて、ラジオを聞いていた。

六月十一日　木曜　くもり

人間って、何だろう。わたしって何だろう。簡単に悲しんだり、喜んだり。

準夜で、主任さんと組んで五日目。彼女は一通りの仕事をすませた後、七時頃栗巻さんの部屋へ行った。

一人詰所にいると、杉井田先生が入って来た。わたしは知らんふりをして、広川さんから借りたモリエールの「守銭奴」を読んでいた。

「千香子さん、怒ってるの」

先生の手が肩に置かれた。わたしは、ふり払うように肩を引いて言った。

「怒っています！」

「そう怒らないでください。あの日、ほんとうに、ぼくマルイの前で待っていたんですよ。でも、一時間待っても来ないので、諦（あきら）めて帰ろうと思ったら、栗巻さんの奥さんにお会いしたんです」

「嘘です。栗巻夫人は六時頃に会ったとおっしゃったわ」

「ちがいますよ。七時過ぎです。栗巻夫人の思いちがいですよ」

先生は断固として言った。

「嘘です。先生は、わたしと会うことより、夫人と食事することのほうが、大事だったんです」

わたしは、ゆずらなかった。先生は、わたしをつくづくとみつめていたが、

「そうか。君にはぼくが、そんな不誠実な人間に見えるのか。ぼくはあの日、君に会おうとして、楽しみにしていたんですよ。しかし君は、ぼくがあんな年上の女と食事することのほうが、楽しいとでも思っているんですか。約束してある君をすっぽかして、他の女と食事するような、そんないい加減な男だと、君は思っているんですか」

先生は気色ばんだ。

「そう思いたくなくても、事実、そうなさったのは先生ですもの。仕方ありませんわ」

言いながらわたしは、自信が失くなって行った。

「そうですか、そんなにぼくは信用のない男なんですか」

先生は、そう言って口を閉じた。

しばらく沈黙が続いた。わたしは、自分が思いちがいをしているのではないかと、不安になった。ちらりと先生を見ると、先生は固い横顔を見せて、タバコをふかしている。わたしは悪いことを言ったようで、気が咎(とが)めた。

「すみません、先生」

あやまるわたしに、先生は、

「いや、いいんです。どうせぼくは、あなたにはぐうたらな男に見えるんでしょうから」

先生は固い表情を変えない。

「すみません、誤解したりして……」

「じゃ、わかってくれたんですか」

先生はようやく表情を和らげた。

「ええ」

「いや、ぼくだって、マルイと三越をまちがったのですから、悪いんです。しかし、変に誤解されると、やっぱり不愉快ですからね。人生には、妙な偶然が重なることだってあるんですよ。ぼくは君と一生暮らすつもりなのに、人格を信じてもらえないのでは、悲しくなりますからね」

二人は握手をして、仲直りをした。十四日の北海道神宮の宵宮祭には、二人でお参りする約束もした。

先ず、お互いの人格をしっかりと信ずること。これがなければ、誤解したり、他の人の言葉に振りまわされたり、つまらぬトラブルを起したりするだけなのだ。

杉井田先生を信ずること。

六月十二日　金曜　くもり後晴

準夜明けで、一日休み。十時までぐっすりねむった。午後、母と二人で街に出る。わたしは、十日に出たボーナスで、博多帯を買って上げた。母には毎月五千円上げていたのに、母はわたしの名義で全部定期預金にしているという。だから、現物でないと、母のものにはならないのだ。母は、

「うれしいねえ、ありがたいねえ」

と、いく度も言っていた。おかあさんって、悲しいものだと、しみじみ思う。

シルエットという喫茶店に入った。障子に木の陰や、鳥の影がうつって、ちょっとおもしろい雰囲気の店だった。わたしは思いきって、杉井田先生のことを母に話した。母は、

「お医者さん？」

と、ちょっと眉をひそめてから、

「まあ、お医者さんでも何でもいいけれど、人間さえ正直で、親切な人なら」

と言った。そしてまた、

「千香ちゃん、結婚まではきれいなおつきあいをしてちょうだいよ。男って、なまずるいも

のですからね」

　と、いつか芙佐ちゃんも言ったようなことをいう。母はもともと、男はなまずるいものと決めてかかっている人間なのだ。でも杉井田先生を見たら、きっと安心するだろう。

「博士になるのに、お勉強が忙しいらしいの」

　と言うと、

「医学博士だからって、特別診たてがいいわけでもないでしょうし、親切なわけでもないでしょう。第一、医学博士って多過ぎるわね」

　人間は、一面識もない者を愛し得ないというけれど、母がまだ見ぬ杉井田先生に好意を持たないどころか、敵意さえ抱いているような感じで、わたしは淋しかった。

「親というものは、息子の探した嫁や、娘の探したムコは、気に入らないものなのだ」

　という言葉を、何かの本で見たことをわたしは思い出した。

六月十四日　日曜　晴

宵宮祭で日曜の今日は、何かのんびりとした雰囲気。でも熱のある患者、ぐったりと疲れきっている患者を見ると、患者にはお祭りも日曜もないと、つくづく思う。

十二号室の若い患者たちは、

「ちくしょう、いい天気だな、あしたは。雨でもザンザと降ればいいのに」

と、黒いてるてる坊主?を窓に吊っていた。これは、病気のつれづれの遊びであり、ユーモアでもあるとは思いながらも、わたしは何となくギョッとした。

勤務を終えて、寮で夕食をすませ、八時過ぎにそっと寮を抜け出し、裏の円山に行く。杉井田先生が裏参道で待っていてくださった。宵宮祭だというのに、つまずきそうなほど暗い。杉木立や松の林の間を、お参りの人々が三三五五参道を行く。

「暗いわねえ」

わたしが言うと、先生はわたしの肩を抱きよせてささやいた。

「もっと、もっと、暗いほうがいい。君と二人でいる時は」

それでも神社に近づくにつれて、裸電球がポツンポツンと吊されていて、神社のそばまで行くと、出店が何軒か並んでいた。

ビニール袋につめたピンクや白の綿アメを売る店、たくさんのお面を並べて売る店、金魚すくいをさせる店など、先生と一つ一つ見て歩きながら、わたしは幸せだった。肩を並べて共に歩く。それだけで女は幸せなものなのだ。

お参りのあと、おみくじをひいたら、「願いごとかなうべし、大吉」とあった。先生はおみくじをひかなかった。悪いくじを引くことになったら、いやだからと言う。

帰りに、杉の木陰で先生は激しいキスをしてくださった。息のつまるような、長いくちづけだった。

六月十八日　木曜　小雨後晴

詰所にきた郵便物を、婦長に頼まれて各部屋毎に分けていたら、杉井田先生宛の部厚い手紙。差出人を見て、わたしはハッとした。退職した栄養士の本間さんだった。その、女らしい、やさしい字を見ていたら、胸から火が噴き出しそうなほどのジェラシーを感じた。

この部厚い封書には、一体何が書いてあるのだろう。わたしは中を見たい誘惑にかられた。

そのうちに、わたしはふとふしぎなことに気づいた。本間さんは、なぜ宛名を医局宛にしないで、三階内科詰所内杉井田先生としたのか、ということだった。

医局宛に送れば、わたしたち看護婦の目にはつかないはずなのだ。もしかしたら、本間さんはわたしの目にふれることを願って、わざと名宛を詰所内としたのではないだろうか。

（いかなる理由で!?）

あの人は、退める時わたしにも手紙をくれると言っていた。何かがありそうだ。

いや、わたしはもう、つまらぬことを考えてはいけないのだ。杉井田先生をしっかりと信じて行かなければならないのだ。

それにしても、憂鬱！

六月十九日　金曜　快晴

夏雲が出ていて、しみじみ夏がきたと思う。天気に反して、詰所は不穏な空気だった。主任がヒステリーを起したのだ。

主任は時々、何の理由も前ぶれもなくヒステリックになる。

「何をぼんやり窓をのぞいているの！　この忙しいのに」

窓によっていたナースを叱り飛ばし、器具の消毒に時間がかかりすぎると柳子さんを叱り、

「何でわたしの顔を見てるの」

と、わたしに当りちらす。女が独身でいると、みなあのようになる、と思われては大変だ。

「つまらないことで、あんなに怒って……」

主任がプリプリして詰所を出て行ったあと、みんなぶつぶつ言っている。

わたしは、自分が大きな失敗をやればよかったような気がした。検温器の入ったコップをひっくり返すとか、注射器を二、三本ふんづけるとか。そしたら怒る正当な理由があって主任は怒ったことになり、大きな顔もできたろう。

そんなことを考える余裕を持てたほど、主任が貧弱で、みじめな人間に思われた。

三　章

六月二十三日　火曜　うすぐもり

深夜勤務三日目。

午後芙佐ちゃんが部屋に遊びにくる。民子さんも準夜で、偶然三人とも、体があいていた。

民子さんが、今度のデートに何を着て行こうか、どんな髪型にしようか、などと言うと、芙佐ちゃんが言った。

「民子、白髪のかつらか、ハゲのかつらでもつけて行ってみな」

わたしはなるほどと思った。いかにも男性にきびしい芙佐ちゃんらしい発想だと思う。

「男は女の何を愛するのか、それが女には、わかっちゃいないのさ、民子、あんまり自分を安売りしてはいかんよ」

と、ニコリともせずに言う。

「いいじゃないの。わたしが楽しんでいるんだから。放っといてよ」

ちょっと民子さんはむくれて、かわいい唇をとがらせた。

「民子の楽しみって、男に抱かれることよりないのかい」

「芙佐ちゃんにはわかんないのよ。男と女が抱き合うって、こんな素朴で純な喜びはないのよ」

「へえ、素朴で純ね」

　芙佐ちゃんは笑い、

「じゃ、聞くけどね民子、素朴で純な楽しみをしながら、どうして人間がすれっからしみたいに、変にくずれて行くのさ」

　と、詰問した。

「それは主観の相違でしょ。わたしはこの世で、一番素朴で純なのは、娼婦だと思うの。わたしも、一晩五千円ぐらいで、アルバイトしようかなと思ってるくらいよ」

　民子さんは、畳に寝そべってバターピーナツをぽりぽりかじりながら、うそぶいた。と、芙佐ちゃんは目にもとまらぬ早さで、民子さんの頰を殴りつけた。

「何をするのよ」

　民子さんが起きあがった。芙佐ちゃんは、

「ばかな民子だなあ」

　と、悲しそうにつぶやいて、部屋を出て行った。

六月二十四日　水曜　くもり

夜中一時を過ぎて目をさました。遅刻だ！　あわてて着更（きか）えて部屋を飛び出す。病院への渡り廊下で、準夜を終えて帰る民子さんに会う。

民子さんは、わたしを見るとついと顔をそらした。頬に涙が光っている。ふと気になったが、わたしは一時までの出勤に遅れていたので、走って過ぎた。

六月二十六日　金曜　風激し、晴

　二階の産科の廊下を歩いていたら、民子さんが新生児室のガラス窓にひたいをつけて、赤ちゃんを熱心に眺めていた。

「赤ちゃんを見てるの」

　わたしが近づくと、民子さんはあわてたように、すーっと離れて行ってしまった。

　廊下のガラス戸越しに、新生児が五人ずらりと並んで見える。ペタッと髪の毛が頭にへばりついている子、うすいぽやぽやの髪の子、みんな、すやすやとねむっている。名札を見ると、昨夜生まれた子、今朝生まれた子など、親の名だけが書かれてあって、子供の名前はまだついていない。

　名前のない赤子たち！

　こんな新鮮な人間はこの世にはいない。わたしはそんなことを思いながら、只ねむりつづけている名前のない赤ちゃんたちを眺めていた。

（一体、どんな一生がこの子たちに待っているのだろう）

　そう思った時、わたしはハッとした。いましがた、民子さんは何を思ってこの新生児たちを熱心に眺めていたのだろう。

（もしかしたら……）

民子さんは、シュワンゲったのではないだろうか？

妊娠！

昨夜のあの涙といい、先程の狼狽（ろうばい）といい、どうも……

わたしはその時急に不安になった。

六月三十日　火曜　快晴

暑い！　土用のようなカンカン照り。

午後、広川さんの部屋に検温に行ったら、非番の柳子さんが、広川さんのベッドの傍（そば）にすわって何か楽しそうに話していた。

「いま、何という言葉が好きかって、話していたのよ」

柳子さんが言った。

「で、何という言葉が好きなの、柳子さんは」

「わたしはね、平明という言葉なの。ところが広川さんは静寂とか節操という言葉なんですって」

「今の世には、失われていますからね」

広川さんはちらりとわたしを見た。

わたしはすぐに次の病室に検温にまわったが、節操とか静寂という言葉が好きだという広川さんの言葉は、現代に対する一つの文明批評だと思った。そして、やはり広川さんの姿勢に強く惹（ひ）かれる自分を、感じないではいられなかった。

特別室の栗巻可奈子さんの部屋に行くと、ここでは杉井田先生が、栗巻夫人と可奈子さんの三人で、紅茶を飲んでいた。

「あなたも召上がれよ」

栗巻夫人は、うすい透きとおるような黒地の着物を着て、あでやかに笑った。可奈子さんの熱は、この頃、かなり治っているのだが、夫人はずっと附添っている。それは附添のためというより、見舞客の応対のためかも知れない。応接室には、果物籠（かご）や豪華な鉢などが五つ六つ、並んでいない日はない。

「ねえ、西原さん。いま、先生にお尋ねしていたんですけれど、杉井田先生にはどなたか恋人はいらっしゃいませんの」

何と先生は答えたのだろうと思いながら、わたしは、

「さあ」

と、微笑した。

「やっぱり、先生のおっしゃるように、決まった方はいらっしゃらないようね、可奈子」

先生は決まった人はいないと返事をしたのだろうか。先生の顔を見ると、先生はきれいに剃った頬をなでながら、何くわぬ顔でニヤニヤしている。

「わたしは信じられないわ。先生のようにすてきな方が、独身で、お医者さまだというのに、

まだ決まった人がないなんて……」

「でもね、可奈子。先生を好きになる人がいくらいても、先生は問題になさらないのかも知れませんよ。何しろまじめで、勉強家ですからねえ」

わたしは先生の顔を見た。わたしたちは、まだ正式に婚約していないとはいえ、先生がかくしていることが淋しかった。

栗巻夫人のご主人は、大きな漁業会社を釧路、根室に持ち、札幌にも商社を持つ実業家だという。可奈子さんは札幌生まれの札幌育ちで短大は東京とか。

わたしは勤務中だからと断わったが、杉井田先生にもすすめられて、香りのよい紅茶と、洋酒漬の栗をごちそうになってしまった。

可奈子さんは、

「時々、遊びにいらっしゃって。わたし、あなたが大好きなの」

と言ってくれた。

七月三日　金曜　くもり

むし暑い。札幌には珍らしく風もない。日勤が終って、ぐったりして寮に帰ると、民子さんが扇風機をいれて、畳の上に横になっていた。青い顔をして、ひたいに汗をにじませている。

「どうしたの。顔色が悪いわ」

と言うと、民子さんはふいに顔をひきつらせ、唇をひくひくとけいれんさせ、

「シュワンゲったのよ」

と答える。

「えっ！　妊娠？」

わたしは体がふるえた。

「そう。三ヵ月だってさ」

「そして、どうするの、民子さん」

おろおろするわたしに、民子さんは不貞くされたように言った。

「おろしてきたわよ。さっき」

「まあ！　さっき？」

　わたしは急に腹立たしくなった。

「あなた、好きな人の子供を生むって、言ってたじゃない」

　少し意地悪くわたしは言った。

「そりゃ、好きな人の子供ならね。でも、加沢の子供だったらしいの。あんな奴の子なんか、思っただけでもざわざわするわ」

（嘘だわ！）

　わたしは新生児室のガラス窓に、額をすりつけてのぞいていた民子さんの姿を思い浮かべた。もしかしたら、民子さんは加沢先生を、まだ愛しているのかも知れない。本当は生みたかったのではないだろうか。なんと女は悲しいものなのだろう。

三　章

四章

四　章

七月六日　月曜　くもり

民子さんは、今日も欠勤。床の中に背をまるめるようにして眠っている。目の下に墨でもつけたような、黒いくまができている。

ひる、売店からいちごを買ってきて、ミルクをかけて上げたら、腹ばいになって、ものうさそうに食べながら民子さんは言った。

「あんた、ギネの勤務をしたことがある?」

わたしは、生徒の時実習に行ったことがあるだけだ。

「わたし去年まで、二年つとめたから知ってるけれどね。生まれてくる子に第一呼吸をさせるなと、医師から命令されることが時々あるのよ」

第一呼吸をさせるなということは、窒息させよということなのだ。

「わたしね、それをさせられたことがあるの。ものすごく憂鬱だった。自分の手の中で、赤ん坊がぐんなりとなるのよ。こんどはわたし、自分のおなかの子を殺してしまった。何だかおっかないわ、自分が」

民子さんは珍らしく弱々しく言った。

ナースって、何なのだろう。病人を可能な限り快復させ、命を長くさせてあげるのが使命ではないか。それなのに、医師の命令どおりに動いて、赤子の命を奪ったり、安楽死させたり……　もし、一度でもそんな恐ろしいことをしたならば、どれだけ多くの人を看病しても、何のつぐないにもならないような気がする。

「本当に、わたし娼婦になりたくなったわ。白衣なんか着て、いかにも清潔そうな顔をしてさ。ナースなんかもういやになっちゃった」

血の気のない頬をひきつらせて、民子さんは笑った。

七月八日　水曜　晴

熱い陽ざし。中庭のつるばらが燃えるように赤い。柳子さんが、洗面所で鉄砲百合を青い壺に活けていた。きれいねというと、

「こんなにきれいな花なのに、匂いが強すぎて、少し品が悪いと思わない？　ほのかに漂うぐらいの香りが奥ゆかしいのに」

という。柳子さんって、そういえば清潔で、ほのかな香りの漂うような人だと思う。

七月九日　木曜　晴

午後の検温に、栗巻可奈子さんの部屋に行ったら、帰りにちょっと寄ってほしいという。可奈子さんは、わたしと同じ年なのに、すぐに甘えた口調になる。甘えるために生まれてきたような口調とまなざしの人だ。

帰りによると、栗巻夫人がメロンを冷蔵庫から出してくれた。別に用事があるわけではなかった。

「可奈子が淋しがっていますの。お友だちになってあげてくださいね」

栗巻夫人はそういって、ちょっと家に行ってくると出かけて行った。

夫人が出て行くと、可奈子さんが言った。

「ママは、家に行ったか、どこに行ったか、わからないわよ」

「あら、どうして?」

「ママはね、きっとまた、杉井田先生とお食事なのよ。ママは少しおかしいのよ。杉井田先生に、夏の背広を買ってあげたり……」

と声をひそめる。

「まあ、夏の背広」

　わたしは耳を疑った。つい二、三日前、チャコールグレイのしゃれた背広を着ていたが、先生は、

「これ、どう？　悪いけどこれも君のあの貯金通帳から、買わしてもらったんですよ。ぼく、夏の背広って、一着もなかったものですから」

　と言い、

「おかげで、生まれてはじめて夏の背広というものを着せてもらいました」

　と喜んでいたのだ。

　わたしは、遠く流れる雲に目をやった。

「ねえ、西原さん、どう思う？　ママは杉井田先生に恋をしていると思う？」

　上背のあるすらりとした和服姿の栗巻夫人と、肩を並べて街を行く杉井田先生をわたしは目に浮かべた。

「まさか」

　わたしは快活に否定した。

「まさかって、西原さん、ママは今までも、ずい分若い人たちと、恋愛をしてきた不良なのよ」

　可奈子さんは、少しおもしろがって言った。

杉井田先生が、あんな年上の女性と、恋愛をするわけない。そう思いながら、あの夏背広が栗巻夫人の贈ったものだときくと、心はおだやかではない。でも、その位のプレゼントをする金持の患者は、今までもいないわけではない。院長も、ある政治家からオーバーをもらったと聞いたことがある。気にするまいと思う。疑うまいと思う。そう思いながらも、やはり気になる。

七月十一日　土曜　雨　風激し

窓を叩きつけるような横なぐりの雨。患者たちはみな静かにベッドの中にいた。午後から雷鳴。エレベーターが故障して、何度も階段を上ったり下ったりする。二階の小児科の子供たちが、階段のところでジャンケンをして遊んでいた。

「どこが悪いの」

と聞くと、首の細い十歳ぐらいの男の子が、

「ぼく？　ぼくね、小児マヒのこうい症」

と言って、左手を見せた。開く前のカエデの葉のように、手がちぢんでダランとしていた。

「わたしもこういしょう」

女の子も言った。後遺症などという言葉を知っている子供たち。わたしは何も言えなくて、

「お大事にね」

と言って階段をかけおりた。

杉井田先生の背広のことなど気にしている自分が、この子供たちに申し訳ないような気がした。

七月十二日　日曜　くもり

民子さん、やっと今日から出勤。誰も民子さんが子供をおろしたことは知らない。

姫鏡台をのぞいて化粧をしていた民子さんはそう言った。

「いつか、この仇(かたき)をきっと取ってやる」

「かたきをとる？　何のかたき？」

「子供のよ！　生みようのない子を妊娠させた加沢が仇よ」

と言う。妊娠して、おろした自分はどうなのだろう。変な論理だ。いや、彼女のは論理ではなく、感情なのだ。捨てられたことへの憎しみなのだ。

民子さんは、舞台にでも出るように、念入りに化粧をして出勤して行った。女はかなしきものなり。

七月十三日　月曜　晴

院長回診に婦長とわたしがつく。おともの杉井田先生の白衣の下に、例の夏背広のズボンが折目をピンと立てていて、わたしは複雑だった。

院長は広川さんの診察をしながら、カルテをのぞきこんで、

「君も長いなあ」

と言う。慢性肝炎と慢性腎臓炎だが、少し散歩が過ぎると、むくみがくる。院長に肝臓をおされながら、広川さんはわたしをチラリと見て微笑し、

「本当に長いですね」

と言った。わたしはふと、広川さんが退院したら、どんなに淋しくなるだろうと思った。

栗巻さんの部屋に入ると、院長はじめおともの医師たちの表情が、少しちがうような気がした。杉井田先生もちょっと改った顔をしている。

「いかがです？　お変りございませんか」

院長は、枕辺にいる栗巻夫人と、ベッドの上の可奈子さんを半々に見て、ていちょうに言った。

「はあ、院長先生と杉井田先生がご熱心で、それはよくしてくださいますので、快方に向う一方でございますわ」

栗巻夫人はえんぜんと答えた。

「いや、よくしてくださるのは奥さんのほうですよ。先日はごていねいにどうも」

院長は含みのある挨拶をした。

「お気に召しましたかしら」

「奥さんのお見立てですからね」

わたしは思わず、杉井田先生のズボンに目をやった。夫人が背広を贈ったのは、杉井田先生ではなく、院長だったのだ。いや、それとも、杉井田先生と院長の二人に贈ったのだろうか。

杉井田先生の、一週間の経過や処置を、よどみなく報告している横顔をみると、何となく安心してもいいような気もした。

七月十四日　火曜　晴

休日。家に帰るのもいや。寮で洗濯をし、午後からツルゲーネフの「初恋」を読む。十六の少年が二十一歳の令嬢に恋をする。だが、彼女は少年の感情をじらし、適当にからかう。彼女には愛する男性がいたのだ。その相手は何と少年の父親だったのだ。

この少年の恋の激しさ。これが恋だと思う。わたしは杉井田先生に激しい情熱を持っているだろうか。身も心も焼きつくすような情熱を抱いているだろうか。わたしは杉井田先生に絶えず惹かれながらも、激しくはない。ツルゲーネフは、

「愛は死よりも強し」

とうたった。死よりも強い愛を持たぬわたしは、まだ本当の恋がわからないのだろうか。恋。恋とは甘美な感情なのか、苦しい思いなのか。何だか苦しいような予感がする。

夕方、広川さんを訪ねる。広川さんはイヤフォンを耳に入れて、ラジオを聞いていたが、わたしをみると、それをラジオからぬいた。軽やかな美しいメロディが流れてきた。

「何の曲?　何だか甘酸っぱい気持になるわ」

というと、

「パリー祭ですよ」

　と、やさしくわたしを見て、

「今日はパリー祭なんですよ。だから、この曲を流しているんでしょうね」

「日本とパリー祭と、どんな関係があるの」

「さあ、パリーへのあこがれでしょう。あるいはパリーへのノスタルジアですか。それが感傷であったにしても、芸術の街へのあこがれであり、ノスタルジアなら、まあいいでしょう。戦争へのあこがれや郷愁では困りますからね」

　そう言ってから、

「郷愁って、いい言葉だな」

　と、ひとりごとを言った。その言葉が、なぜかひどくわたしの胸を打った。別にどうということもないひとりごとなのに、わたしには、そのややかげった表情と、低い声に、わたし自身にはない世界を感じたのだ。

　そして、その広川さんのそばにいることが、やはり大きな安らぎのように思われた。わたしがそう言うと、

「千香子さん。それはあなたの錯覚ですよ。人間は人間に安らぎなんて与えることができないものですからね」

と言った。果してそんなものだろうか。

七月十六日　木曜　くもり

ひる、病院の美容室から出たら、杉井田先生にばったりと会った。

「きれいだねえ。君、これからどこかに行くの」

先生は小声で言った。どこにも行かないと答えると、今、少しの間屋上で話したいと言う。

わたしたちは別々のエレベーターで、屋上に行った。裏の円山が黒いようなみどりだ。曇天だがむし暑く、蟬の声がしきりに聞える。

「君、この頃また、きれいになりましたねえ」

先生はやさしく言った。

「ところで、土曜日の夜、会ってくれませんか」

「あの、わたし今日から深夜なんです」

わたしはふと栗巻夫人を思い浮かべた。

「ひるのうちにぐっすり眠っていてください。そしたら夕方から午前一時まで、つきあっていただけるでしょう」

「午前一時まで?・」

四　章

おどろくわたしに、

「できたら一晩中でも君と話をしていたい」

と、先生はまじめな顔で言った。

「一晩中？」

「ああ、一晩中ですよ。できたら、今年中に結婚したいと考えているんです」

今年中に結婚することなど、全く考えていなかったので、わたしがびっくりすると、クリスマスまでに結婚したいと言う。

「わたし、もう二、三年勤めてからと思っていますけれど……」

わたしはまだ、結婚生活に飛びこむ気にはなれなかった。

「そうですか。今年中は無理ですか」

先生はがっかりしたように言ったが、

「じゃ、土曜日の午後六時半に、グランドホテルのロビーで待っています」

と去って行った。

わたしは、しばらくぼんやりと円山のみどりを眺めていた。

先生は、今年中に結婚をしたいと言った。あれは、わたしへのあらためての求婚の言葉だったのだろうか。そんなふうに受け取りはしなかったのに、わたしはふいに、先生の言葉が急に改った重大な言葉であったような気がしてきた。
（それにしても、あれが正式のプロポーズの言葉だとしたら……）
何とさりげない言葉であろう。

七月十七日　金曜　雨

夕方、目がさめたら、芙佐ちゃんが入ってきた。

「けさ、患者が死んだ」

と、ぽつんと言って、畳にごろりと寝ころんだ。目じりに涙がたまっている。わたしはハッとした。患者の死は、そう珍らしいことではない。しかも芙佐ちゃんは、わたしよりも何年も先輩なのだ。患者の死に涙ぐむ芙佐ちゃんに、わたしは感動した。

「ああお腹がすいた。人が死んでも、食欲に変りないんだから、人間って、なんだか恐ろしいよ。お千香、食堂に行かないか」

芙佐ちゃんはわたしを誘った。

寮の食堂より、病院の食堂のほうが品数が多いので病院のほうに行く。まだ五時だったが、青いのれんを下げた氷水のコーナーに、浴衣姿の患者たちが群れていた。片すみにアイスクリームを食べている若いカップルもいた。

わたしはカレーライス、芙佐ちゃんは天丼を食べた。

「民子はこの頃、また加沢とよりをもどしたっていうじゃないの」

芙佐ちゃんが、丼を一気に半分ほど食べてから言った。

「本当?」

わたしが驚ろくと、

「民子のすることに一々おどろいていたら、体が持たないよ」

と笑った。この間、加沢先生の子をおろし、先生に復讐すると言っていたのに。民子さんのすることは全くわからない。

食堂を出たら、廊下で広川さんとすれちがった。

「あの人、いい感じねえ」

わたしに会釈した広川さんを、芙佐ちゃんがほめた。芙佐ちゃんが男性をほめたのは、これがはじめてではないだろうか。

四　章

七月十八日　土曜　くもり

杉井田先生の家へ行った。そして……。

虚脱感のみ。誰にも会いたくない。一人でいたい。今夜流した涙が凍らずに、なまぬるい液体であることのふしぎさ。

七月十九日　日曜　晴

塗りかえたばかりの部屋のクリーム色の壁を、じっと見つめていたら、何か落書したいような気持。

「人間よ、石になれ！」

と。

氷河時代を思う。人類も動物も花も、みんな氷づけになっている姿を想像するだけでも痛快。あの杉井田先生も、わたしも。そして二人の愛も。水中花のように氷漬けになるがいい。

このおかしな精神状態は、十八日の夜がもたらしたものなのだ。

七月二十日　月曜　晴、後くもり

「太陽と死とは直視できない」とは誰かの言葉。女性が、その純潔を失った時も、同様に直視できないのではないか。

ああ、母は言っていたのだ。

「きれいなおつきあいをしなさい」

と。

七月二十一日　火曜　晴

この数日、一日がひどく長い。わたしの頭の中は砂がつめこまれたように重い。人間は、向上したいと思うこともあるが、堕落したいと思うこともある。わたしは、石にかじりついても堕落はするまい。

四　章

七月二十二日　水曜　晴

晴れた暑い日がつづく。あの日から今日で五日目。

人は敗北した時、思想を持ちたくなるという。あれは、わたしの人生における大いなる敗北ではなかったか。

「おふくろに会ってほしいのです」

という先生の言葉を信じて、あの日わたしは先生の家に行った。だが、玄関の戸には鍵がかかっており、おかあさまは留守だった。

「どこへ行ったのかなあ。今すぐ帰ると思うけれど」

先生はそう言い、二階の自分の部屋に通してくださった。いつかは、この家の人になると思うと、古ぼけた茶ダンスも、本のギッシリつまった本棚も、ひどく親しいものに思われてわたしは楽しかった。

先生は、ふっとカレンダーを見上げて、

「ああ、今日は十八日ですね。すみません。おふくろは毎月十八日には、ちょっと集りがあって出かけるんです。十時過ぎまで帰ってこないんです」

と言った。

その直後だった。先生はわたしを抱きよせてくちづけをした。わたしをその膝に抱いて。

そして……。わたしはそのあとのことを、やはり直視する勇気がない。

「どうせ、ぼくたちは結婚するのだから、遅かれ早かれ、こうなるんですよ」

すべてが終ったあと、先生はたばこに火をつけながら、そう言った。

男が女を愛することと、女が男を愛することとは、断じてちがうと、わたしはあの夜、はじめて知らされたような気がした。

わたしが異性に求めているのは、体ではない。心なのだ。やさしさとか誠実なのだ。突如として、うばう形でわたしの体を押し倒す男の姿に、わたしは愛よりもエゴを感じた。情欲を感じた。

情欲は絶対に愛ではない。と言って、わたしは杉井田先生を嫌いになったわけでもない。否、それどころか、四六時中先生のことを思っている。自分でも不可解な感情。

四　章

七月二十三日　木曜　晴

　昨日、日記にあの夜のことを少し書いたためか、やや心が落ちついた。

　広川さんに静脈注射をしながら、わたしは尋ねた。

「広川さんは重大な過失を犯したことがある？」

　広川さんは、ちょっと眉根をよせてわたしをじっとみつめた。注射を終ると、広川さんはわたしをみつめたまま、

「千香ちゃん、自分の過失は、自分が忘れれば、それで消えるというものではない、ということを知っていてくださいよ」

　と言った。人の心を見透すような、澄んだその目に、わたしは思わず目をふせた。

七月二十六日　日曜　くもり

恐るべき事実だ。だがわたしは、冷静に書き綴ろう。恐るべきことの故に。

午後、詰所で体温表に記入しているとブザーが鳴った。栗巻さんの病室からである。インターフォンを入れたが返事がない。すぐに飛び出して行ったら、可奈子さんがベッドの上にすわって少女のように折鶴を折っていた。

何か用かと思ったら、鶴の折り方を教えてほしいと言う。今日は日曜で、わたしと柳子さんが日直であることを承知しているのだ。

「こんなことで、看護婦を呼んではいけませんよ」

と、きびしい顔をみせると、

「だって、看護婦さんって、病人を慰めたり、励ましたりするのも大事なつとめでしょう。わたしは西原さんの顔をみると、呼吸まで楽になるのよ」

と愛らしく笑う。

金持のわがまま娘！と思いながらも、仕方なく鶴の折り方を教えてあげる。

「ねえ、西原さん、西原さんは杉井田先生をどう思って？」

「どうって?」

わたしの体の上にあったあの夜の先生を思い出して、わたしは頬が赤らんだ。

「もしもよ。もしも、西原さんが結婚の相手をえらぶとしたら、杉井田先生のような人をおえらびになる?」

もう、えらんでしまったのだ。いや、えらぶという言葉は当らない。いつの間にか、わたしは杉井田先生のものとなっていたのだ。これは主体性のない生き方だけど。えらぶというのは、たくさんの中からえらびとることだ。恋はえらびではない。気がつくと、吸いよせられるように、二人がピッタリと合ってしまっている状態が恋なのだ。

風鈴の鳴る窓の向うに、くもった空が重たかった。

「可奈子さんは、あの先生がお好きなの?」

「そうね、好きよ。でも結婚の相手とは考えていなかったの。ところがゆうべママに、杉井田先生がわたしを欲しいって、結婚の申込をなさったんですって。ママは大乗気なの」

「えっ!?」

晴天のへきれきとは、このことだろう。

嘘だ!と最初は思った。が、次の瞬間、わたしは目のくらむ思いがした。本当かも知れないと思ったのだ。

「わたしはね、何だかママの工作のような気がするの。ママは本当は、自分があの先生を好きなものだから、わたしに結婚を申しこんだなどと、でたらめを言ってると思うの。そしたら、自分は大っぴらに先生とおつきあいできるでしょう？　だから、わたしちょっと考えてるの」

無邪気な顔で、可奈子さんはけろりと言った。

「でもね、こんなこと西原さんにだけいうのよ。内緒にしておいてね」

わたしはうなずいて、今は忙しいから、また後で話をきくと、さりげなく病室を出た。

本当に、先生は可奈子さんに結婚を申しこんだのだろうか。それとも栗巻夫人が可奈子さんの夫にと望んだのだろうか。

頭の芯がずきずきと痛い。

七月二十七日　月曜　雨

　朝から大雨。道内各地に大雨注意報。午後、廊下で杉井田先生にちょっと話があると言うと、

「いつ？　ここ半月ほどは、ちょっと手がけた研究で忙しいんだけれど……」

「日曜日もお忙しいの」

「ああ、次の日曜は内地から友人が来るし、その次の日曜はお盆が近いので、おふくろと墓参で函館（はこだて）に行くことになっていて……」

　先生はそう言って、そそくさと病室のほうに行ってしまった。

　女が肉体を与えることは、心を与えることだ。もし、その心をふみにじったとしたら、わたしはあなたを決して許しはしない。

七月三十日　木曜　くもり

準夜。真夏というのに、一日肌寒いような風が吹いていた。民子さんも準夜だ。処置も少なく、重患のいない時は、準夜が一番だ。

久しぶりに二人で、ラーメンを食べにひるの街に出る。

「ね、千香ちゃん、わたしまた加沢とつきあってるのよ」

熱い味噌ラーメンを、小さな唇で吹きながら食べる民子さんの口もとを、わたしは黙ってみていた。

「加沢って、本当にいやな奴よ。外科の婦長と両天秤(りょうてんびん)かけてるのよ」

「いやなのに、どうしてつきあうの」

「いやだからつきあうのよ。わたしはあいつに純潔を捧げたんだもの。捧げただけのお返しをしてもらわなくちゃ」

そう言ってから、民子さんはしみじみと言った。

「千香ちゃん。純潔って、本人が考えているより、ずっとずっと大事なものよ。わたしみたいな生活をしていると、心までが汚れてしまうわ。杉井田先生にも、結婚するまで体を許してはだめよ」
わたしは顔が歪(ゆが)みそうになった。
民子さんと、はじめて心の通うような思いだった。

八月一日　土曜　晴

病院の職員たちと大浜に海水浴に行く。水着になるのが何となく面映ゆい。杉井田先生の姿は見えなかった。芙佐ちゃんが一番泳ぎがうまい。

海から上って、柳子さんと芙佐ちゃんと三人で、砂浜に寝ころび話し合う。

「民子が昨日、加沢に殴られたって聞いた？」

例によって、芙佐ちゃんは耳が早い。

「知らないわ」

「バカだよ、加沢も。何もみんなの前でなぐらなくてもいいのにさ」

柳子さんは砂浜に黙って字を書いた。

「あんた方は、ハイラーテン（結婚）するの」

芙佐ちゃんに言われて、わたしはまだ決まっていないと答えた。

「そうだねえ。杉井田先生って、ちょっと用心したほうがいいかも知れないよ。一見いい男だけれどね。こう憂鬱そうな目で、ちらっと人を見る時なんか、いかすけれどね。この間、人妻みたいなのと、いやに馴れ馴れしく街を歩いていたからね」

科のちがう芙佐ちゃんは、栗巻夫人を知らないのだろう。
入道雲の湧く海辺も、わたしには、もはや楽しいところではなかった。

八月八日　土曜　晴

広川さんの部屋に行ったら、柳子さんがしきりに笑っていた。

「秋立ちぬセロリのような女きて」

という俳句を、広川さんが見せて言った。

「感じのあるいい句でしょう。ぼくの友人の句ですがね。いま、二人でいたずらをしていたんですよ」

と、ノートをひらいた。

「秋立ちぬトマトのような女きて」

「秋立ちぬナスビのような女きて」

「秋立ちぬカボチャのような女きて」

「秋立ちぬ三つ葉のような女きて」

などと書いてある。思わず笑うと、

「ね、やっぱりセロリのような女きて、がいいわねえ」

と柳子さんは楽しそうに言った。

わたしは、なぜかふいに胸が一杯になり、涙が溢れた。広川さんと柳子さんのような清潔なつきあいが、ひどく貴重なものに思われたのだ。

「どうしたの?」

驚ろく二人に、わたしは、

「何でもないの、何でもないのよ」

と言いながら、涙をとめることができなかった。

五章

八月十日　月曜　晴

札幌は風のある街だと、誰かが言った。白い埃をあげて過ぎて行く風を眺めながら、わたしはへんに悲しかった。

平凡な女は、平凡にしか悲しむことができない。いきなり白衣を引きさいて、大声をあげて泣きたいのに、

「きょうはいかがですか」

と、一見にこやかに患者の手をとって脈を見る。そして、一人一人の心臓の鼓動のつたわってくる脈を数えることに、きょうは透明な悲しさを覚えるのだ。

もしかしたら、もしかしたら、杉井田先生は栗巻可奈子さんに結婚を申しこんだのかもしれない。

白い雲が、風に吹きちぎられるように、東に飛んでいた。

八月十二日　水曜　晴

五　章

午後いつもより三十分早く検温。

可奈子さんの病室に入ると、杉井田先生が可奈子さんのベッドのそばにピタリとすわっていた。栗巻夫人はいない。思わず顔がこわばる。

可奈子さんは、妙に上気したうるんだ目をして、頰を赤らめていた。先生は、たばこに火をつけて、さりげなくわたしの視線を避けている。わたしは無言で、体温計を可奈子さんに渡し、鋭く杉井田先生を一べつして病室を出た。

あの可奈子さんのうるんだ目、りんかくのぼけた唇の紅は何を語っているのか。いつもはくっきりと紅をさしている唇なのに。

ありありと、杉井田先生の変心を肌に感じる。全身から力の脱けて行くような無力感。

広川さんの部屋に入ると、広川さんが驚ろいたように半身を起した。

「どうしたの千香ちゃん。そんな青い顔をして！」

叱るように言われたとたん、体温計を入れた缶を、大きな音をたてて床に落してしまった。

気がついたら、わたしは詰所のベッドの上にねかされており、杉井田先生が婦長と共にわたしの顔を見守っていた。わたしは思わず顔をそむけた。どす黒い血でも噴き出しそうな憎しみが、全身をつらぬく。わたしは頑なに目をつむって、再び彼の顔を見ようとはしなかった。

八月十三日　木曜　晴

ひる休みに、中庭の芝生にねころぶ。まぶしい夏雲が、ゆっくりと右の病棟から現われては、左の病棟に移って行く。じっと見つめていると、変転とどまることのない大自然の中で、人間の感情が最も変りやすいのではないかと気づいた。

「吾を通る者は憂いの街に至る」

広川さんが、いつか言っていた言葉を思い出す。

「恋する者は憂いの街に至る」

と言い直してもよい。

いやでも杉井田先生と可奈子さんの姿が目に浮かぶ。

八月十五日　土曜　うすぐもり

お盆だというのに、体の中まで寒くなるような風。その風に吹かれて午後家に帰ったら、盆ちょうちんが仏間に飾ってあった。

「ずいぶん帰って来なかったじゃないの」

母はそう言いながらも、うれしそうだった。わたしは、もう生まれたままの体ではないと、母の顔を見たとたん、痛切に思った。

お盆で忙しい店に出て、わたしも手伝う。看護婦の仕事は尊いと人はいうけれど、看護婦の心が患者の上にないならば、果して尊いと言えるだろうか。食料品屋の仕事のほうが、ずっとさっぱりしていて気持がよい。ほしいと言われた品を、定価で売るという仕事は、健康な感じだ。

健康といえば、来る客はみな健康人であるということ。わたしの職場は病人で溢れている。この当然なことが、今日はふしぎに身に沁(し)みた。

「千香もおとなになったなあ。今日はよく働いてくれた」

夜ねる前、兄がほめてくれた。杉井田先生のことで、心がむなしいから働いただけのことなのだけれど。おふろに一緒に入ろうと母に言われたが断わる。生理だと偽って。わたしは、何くわぬ顔で母の前に裸になることはできなかった。

八月十六日　日曜　小雨後くもり

民子さんもわたしも準夜。出勤前のひととき、二人は部屋でテレビを見ていた。夫の恋人を刺し殺した妻が、逮捕されたニュースがあった。

「女性一同に代ってお礼を言いたいわ。女を裏切るって、どんなことか世の男たちは、思い知るといいのよ」

民子さんはそう言ってから、

「そうだ！　わたしも裏切った男は殺してしまえばいいのよね」

と、まじめな顔になった。わたしはふとおかしくなった。女が殺されたのは、ひとのダンナを取ろうとしたからなのだ。つまりその女は民子さんのような存在なのだ。民子さんはそれに気づかない。加沢先生に、妻を裏切らせている張本人であることに気づかないのだ。

(民子さん、あなたも殺されないようにしなければ……)

口に出かかった言葉をのんで、とっさにわたしは別のことを言った。

「……女の心を傷つける人間は許せないけど、殺すなんて……」

「ふーん、お千香っておっとりしてるわねえ。もし、杉井田先生があんたから誰かに心を移しても平気なの」

「平気じゃないけれど……」

　思わずぎくりとしながら答えると、

「男が裏切ったら、殺すぐらいの気にならなきゃ、恋とは言えないわよ。わたしなら男も女も殺してやりたいわよ」

　民子さんはテレビのスイッチを消しながら言った。

「こわいのね、民子さん」

「あたりまえよ。青春は二度とこないじゃないの。その貴重な青春時代を、男の気まぐれでメチャクチャにされるなんて、絶対ゆるせないわ」

　激しい民子さんが羨ましくもある。そう思った瞬間、わたしは可奈子さんに注射している毎日の自分の姿を思い浮かべ、何かゾッとした。薬を注射することもできるが、ちがうものも注射できる。

　こんなことを考える事のできる自分にゾッとしたのだ。

八月十七日　月曜　雨

準夜。

わたしはきょうも、新生児室の広いガラスごしに、生まれたばかりのベビイたちを見つめていた。

ああ、このベビイたちは、たった一人で、この世の片すみに生まれ、まだ一人の友もないのだ。そう思うと、ひとりで生まれ、ひとりで死んで行くという、このきびしい事実を、日頃どのくらいまともに受けとめていることだろうと、思わずにはいられなかった。

ふっと、民子さんがおろしたというベビイを連想する。

準夜は、柳子さんと二人。昨日入院した女患の熱がまだ高い。氷枕をかえてあげようとすると、この年老いたひとの目じりに涙がたまっていた。

「苦しいですか」

尋ねると、かすかにうなずく。わたしは、新生児室のベビイたちもやがては、この人のように老いて行くのだと思うと、何とも言えない思いがした。

詰所に宿直の牧野先生が遊びにきた。牧野先生は、大学病院から出張してきて二カ月になる。

「杉井田は、ナースたちに人気があるらしいね」

大学が杉井田先生と同期の牧野先生はニヤニヤした。

「勉強家だという話ですわ」

柳子さんがちょっと外らすように答えた。

「勉強家か！　なるほど、杉井田は医局に来る医学雑誌なんか、一番先に見ているな。しあし、あいつは見ているだけさ。読んではいないよ」

わたしは驚ろいて牧野先生の顔を見た。杉井田先生の悪口を言われて、不愉快だという

この心理！　何とふしぎなことだろう。

八月十九日　水曜　くもり

杉井田先生の当直。詰所にきて、医学雑誌を熱心に読んでいる。昨日、牧野先生は、

「杉井田は医学雑誌を見ているだけで、読んではいない」

と言った。何となくほっとして、うしろ姿を見ているうちに、またもや可奈子さんの唇が思い出されて、むらむらする。

ふいに先生がふり返った。わたしの鋭い視線と先生の視線がぶつかった。

「何とおっかない顔をしているの」

先生はやさしく微笑した。例によって、柳子さんは処置室のほうで本でも読んでいるらしい。わたしは黙ったまま先生をみつめた。可奈子さんの唇が目に浮かんだ。わたしはさっと立って、柳子さんのいる処置室に行った。

顔も見たくないような不潔感。そのくせ、わたしには先生のそばにじっといたい思いもあった。

今日も寒いような風。北海道の夏はもう終ったのか。

八月二十二日　土曜　くもり後晴

ひる休みに、詰所の前で杉井田先生にデートに誘われた。が、わたしは断わった。まだ可奈子さんにプロポーズの件を確めていないのだ。

「あなたはぼくを嫌いになったのですか」

先生は、廊下のまん中で熱っぽくわたしを見つめた。胸がキュンと痛くなる。

「いいえ、ちょっと疲れているんです」

先生は不満そうにわたしを見、黙って去って行った。追いかけたいような思いをこらえて、わたしは詰所の中に入った。

八月二十三日　日曜　晴

珍らしく、休みと日曜が重なった。家に帰ろうかと思ったが、洗濯をし、髪を洗って、あとは部屋でボンヤリとしていた。近くの部屋からギターをかき鳴らす音が聞えてくる。幾度も同じ曲をくり返すギターの音に、心は更にものうく、いらいらする。

わたしは二十三歳なのだ。若い二十三歳の女性の休日が、こんなにも、もの憂いなんて……。青春はもっと、楽しく明るい笑いに満ちていていい。外は晴れているというのに。いや、それともこのメランコリイが、もしかしたら青春というものなのかも知れない。そう思いながらも、このメランコリイに、どっぷりつかっていることに耐えられずに芙佐ちゃんの部屋に行く。

芙佐ちゃんはシュミーズ一枚で部屋に寝ころんだまま、本を読んでいた。

「涼み台よくぞ男に生まれける、とかいう俳句がなかったかかな？　よくぞ女に生まれけるで、今日は失礼」

芙佐ちゃんは寝ころんだまま言った。

久しぶりに暑さが返ってきた。

「民子はこの頃、人相が悪くなったねえ。いやにどぎつい化粧なんかしてさ。坂を落ちるような感じに、人間も落ちるっていう感じだなあ。彼女を見ているとねえ」

　わたしにも、そんな民子さんがかわいそうでならないのだ。

「ところで彼氏のいるお千香が、日曜にぶらぶらしてるなんて、冴えないなあ。うまくいってるの？」

　彼女はわたしを真正面から見て言った。

「大丈夫よ」

「ふーん。実はね、ゆうべも人の奥さんのようなのと、レストランに入って行くのを見たんだよ。この前もたしか、あの人と歩いていたしさ」

「患者のおかあさんよ。栗巻さんていう方よ」

「栗巻？　あの栗巻漁業の？」

「そうよ」

「栗巻漁業だろうが、左巻漁業だろうが、とにかく患者の母親と、何もああしげしげと出歩くことないじゃないか。お千香、ぼやぼやしてってはいけないよ」

　芙佐ちゃんはヤキモキしていた。

　帰りがけに、こんなこといいたくないけれどと前おきをして、

「あのやめてった本間っていう栄養士ね。始終あの先生に手紙をよこすらしいよ。いつも三階内科詰所宛にくるけれど、直接医局に持ってきてほしいって、杉井田先生が守衛の小父(おじ)さんに頼んだらしいよ。小父さんこの前わたしに言ってたわ」

部屋に帰ったわたしは、空が真っ二つに裂けて火が落ちてこようと、かまわないような気持になっていた。世界中燃えてしまうがいい。

栗巻夫人、可奈子さん、本間さん、まだまだ役者が足りません。さあ、何人でもご登場くださいませだ。

ギターは相変らず同じ曲をくり返していた。

八月二十六日　水曜　晴

　おひるの配膳の時、広川さんの病室に膳を運んで行ったら、

「午後の安静時間が終ったら、洗髪してください」

　と広川さんがいう。

「あら、どうして？　柳子さんに洗ってもらうって、言ってたじゃない」

　うれしさをおさえて、わたしは言った。広川さんは、もう何カ月も、わたしに洗髪を頼まなかったのだ。広川さんはそれには答えず、

「千香ちゃん、少し痩(や)せましたね」

　と、いたわりに満ちた表情をした。はっとするような真実なまなざしだった。

　久しぶりに広川さんの髪を洗いながら、わたしは言った。

「柳子さんに叱られるわね」

　広川さんは黙っていたが、やがて、

「千香ちゃん、少し変りましたね」

　と言った。わたしはふいに、何もかも広川さんに話してみたい衝動にかられた。ひるの

洗面所には誰もいない。わたしは思い切って言った。

「広川さん、わたしね、もう駄目になってしまったの、体も心も」

　ピクリと広川さんの肩が動いた。わたしはていねいに石鹸を泡立てて、広川さんの少し剛(こわ)い髪をごしごし洗いながら、杉井田先生との今迄(いままで)のことをかいつまんで話をし、杉井田先生と本間さん、栗巻母子(おやこ)の話もした。

　広川さんは何も言わなかった。髪をきれいにすすぎ、リンスを終えても黙っていた。広川さんは少し青い顔をして、きびしい表情をしていた。

　病室まで送って行き、ベッドにねかせてあげると、広川さんは、はじめてポツリとこう言った。

「千香ちゃん。一生に一度も転んだことのない人間は、いないんですよ」

　何という深いやさしい言葉であろう。

　そうだ。一生に一度も転んだことのない人はいない。転べば立ち上ればいいのだ。だが、わたしはまだ転んだままなのだ。立ち上るには、少し痛みが強過ぎるのだ。

八月二十八日　金曜　くもり

寮から見おろす庭に、コスモスが風に大きくゆれている。晩夏、というよりも、もう秋。短い夏も終った。

苦の字のついた言葉を考えてみる。

苦痛、苦心、苦情、苦杯、苦境、苦悩、苦闘、苦悶（くもん）、苦労、苦難、苦戦、苦慮、苦渋……。こう書いているうちに、昔から、数えようもない程多くの人々が、様々の苦しみに会って生きてきたような気がする。その苦しみの中から、このたくさんの言葉が生まれてきたのではないだろうか。

わたしだけが苦しいのではない。

八月三十日　日曜　雨

杉井田先生、なぜ、こんな手紙をくださったのです。なぜ、わたしを動揺させるのです。

わたしは先生の手紙を日記帳に貼りつけた。

「千香子さん、

あなたは、何かぼくを誤解しているようですね。あなたはなぜ、ぼくを避けるのです？ なぜ、ぼくの腕の中に素直に飛びこんでこないのです。

あなたがぼくを変に誤解しているのなら、誤解してもいい。それならそれで、なぜ、ぼくの胸ぐらをつかんで責めてくれないのです。

あなたの喜びも悲しみも、怒りも苦しみも、ぼくの腕の中以外の、どこで解決できるのです。千香子さんは、断じてぼくのものだ」

わたしは先生の手紙に、飛び上りたいような喜びを感じた。人間は何と単純に喜びたくなるのだろう。だが、わたしには、可奈子さんのことが気にかかる。それは先生に尋ねるより、可奈子さんに、はっきりと尋ねてみるといいのだ。それなのに、何か恐ろしくてそれができない。それはまるで、癌の疑いを持ちながら、診察を受けることをこわがる患者のようだ。

九月一日　火曜　くもり

雑誌をパラパラめくっていたら、九月の詩が出ていた。

風にも色があると
あなたはいった。
さみどりの風、
それは五月。
金色の風、
それは七月。
そして水色の風、
それは九月だと。
「ぼくは水色の風が好きだ」
といったその九月が、
再びきたというのに、

五　章

あの人は一体どこに
いるのだろう。

水色の風はどこからくる。
「われ山に向いて目を上ぐ」
と、あの人が諳(そら)んじたあの
山よりも、ずっと高い青い
天の底に、
水色の風は生まれるのか。

あの人が死んで一年、
ことしも水色の風の吹く
九月がきた。

わたしは、この九月の詩を書いた女性が、羨ましかった。愛する人に死なれるほうが、
愛する人に裏切られるより、女はずっと楽だもの。

明日こそ可奈子さんに尋ねてみよう。

五　章

九月二日　水曜　晴

恐れていた日がついにきた。ついに！

午後、可奈子さんの病室に行くと、わたしの顔を見るや否や、可奈子さんは、

「あら、ちょうどよかったわ。わたし、あなたに、これをさしあげたいと思っていたの。でも今日は準夜でしょう。夜まで会えないと思っていたのよ」

と、薄いブルーのビーズのハンドバッグを差し出した。

「まあ、すてき」

わたしはハンドバッグを手に取りながら言った。が、もらう気はなかった。

「うれしいわ。お使いになってよ。実はね、西原さん、ちょっと見ていただきたいものがあるの」

可奈子さんは、わたしがハンドバッグをもらうものと決めて、枕の下から封書を出した。

「ママがテーブルのところに忘れて行ったの」

それは杉井田先生から、栗巻夫人に宛てた手紙だった。

「ぼくは次第に苦しくなる一方です。

ぼくは一体どうしたらいいのです。奥様はぼくに何をせよとおっしゃるのです。ぼくはあなたに操られている忠実な人形です。

あのことは奥様の思い過しです。今夜、例のところでお待ちしています」

わたしは、幾度も幾度もくり返して、この短い手紙を読んだ。諳誦（あんしょう）するほどに読んだ。この短い手紙に流れる杉井田先生と栗巻夫人の感情の交流の妖（あや）しさ！

「西原さん、やっぱりママと杉井田先生はおかしいと思わない？」

可奈子さんは真剣なまなざしで、わたしを見あげた。そして、

「先生はわたしに、直接プロポーズなさったのよ。わたしもあの先生は最初から好きだったでしょ。もう何度もキスだってしてるのよ。ママはね、わたしがあの先生と婚約するのを、それは喜んでいるのよ。それなのに、一体これはどういうことなのかしら」

何ということだろう。先生は直接可奈子さんにプロポーズをしているのだ。わたしはあの日以来、可奈子さんと先生がキスしたことを知っていた。そしてそれは、幾度も幾度も可奈子さんの唇が浮かぶという苦痛を通して、私の中で事実となっていたことであった。今更驚ろくべきことではない。にもかかわらず、はっきりと可奈子さんの口からその事実を知らされると、うずいていた傷が更に急激に化膿（かのう）した。

「わたし、ママに先生をとられるのはいやよ。どうしたらいいの、西原さん」

わたしこそどうしたらいいのだ。わたしはしらじらとした気持で、可奈子さんの唇を眺めた。この唇に、杉井田先生の唇が！

「可奈子さん、この手紙はおかあさまと先生がおかしいというようなことでは、ないと思うわ。未来のおかあさまに、先生は何か訴えているだけなのよ」

わたしはつとめて冷静をよそおい、心にもないことを言った。

「そうかしら」

「そうよ。可奈子さんは先生のプロポーズにお返事をなさったの」

「考えているの」

「キスをしているのに？」

「結婚と恋愛は別よ」

それなら何も悩むことはないではないか。

わたしはハンドバッグを受け取らずに、新しい傷だけを受けて帰ってきた。

何だか妙に心が定まったような気持。ついに来るべきものが来た。涙も出ない。

九月五日　土曜　くもり

女が男を愛し、身体（からだ）をゆるし、そして裏切られた。男は他の女性に心惹（ひ）かれた。人間の歴史が始まって以来、もう数限りなく、くり返されたことではないか。あまりにもありふれた平凡な話。わたしは、そのあまりにもありふれた話の中の、一人の女になったに過ぎないのだ。

とは思いつつも、何という苦しさ。口惜（くや）しさ。ああ、もしゆるされるなら、杉井田先生の頭に小刀を突き立てたし。

五　章

九月九日　水曜　小雨

日勤を終えて部屋に帰ると、芙佐ちゃんと民子さんが血相を変えている。

「お千香、聞いた？」

「何を？」

「杉井田の奴のことよ。あいつ、栗巻とかいう娘にプロポーズしたんだって、お千香知っているの」

わたしは黙ってうなずいた。

「何だ、知ってたの。あんたどうするの。ナースたちはみな、やきもきしているよ」

「離れて行く人は仕方がないわ」

「仕方ないなんて、そんな話ないでしょう。お千香のような純情な娘にモーションかけたのは、杉井田が先じゃないの」

芙佐ちゃんは興奮し、民子さんはじっとわたしの顔をうかがっている。

「千香ちゃん、絶対復讐するのよ。杉井田の奴！　致命的な復讐を考えるのよ。二度と立ち上がれないようにさ」

ふいに、わたしの体の上にのしかかってきた時の彼の顔の歪(ゆが)みをわたしは思い出した。

思いがけなく、わたしは涙がこみあげてきた。

「千香ちゃんを泣かすなんてさ。只じゃおかないよ。杉井田の奴」

民子さんが言った。

九月十五日　火曜　晴

詰所に杉井田先生が入ってくると、みんなピタリと口を閉じる。誰も彼もわたしに同情してくれているのだ。だがその同情さえ、わたしの神経にささる。

可奈子さんの病室に入るのが、一番の苦痛だ。可奈子さんには、誰も何も知らせないのだろうか。彼女は無邪気だ。

「西原さん。ママの忘れたあの手紙を先生に見せたら、ぼくの苦しい気持をわかってくれるでしょうって言ってたわ。先生は、わたしが先生と結婚してくれるかどうか、不安でならないんですって。

わたし、もう少しじらしてあげるわ。あの先生は、わたしのパパの財産がお目当てかも知れないの。わたしは一人娘でしょう。だから……」

わたしは先生にあずけたわたしの全財産と印鑑を思い出した。可奈子さんの莫大な財産とは比較しようもないほど僅かでも、あれはわたしの全財産なのだ。

九月十七日　木曜　しぐれ

日記帳に何も書きたくない日がつづく。広川さんは、何も書きたくない日は、ただ線でも点でも×でも○でも書いておきなさいと言った。

そのようにして、自分の指を通して、字にも言葉にもならぬ想いを書くことが、精神衛生のためによいのだという。

杉井田、杉井田と書いては、その上から×印で黒く塗りつぶして行くこの頃のわたし。わたしの心の奥底に、あの男をこの世から抹殺したいねがいが、うごめいているのかも知れない。

可奈子、栗巻夫人、わたしはあなたたちにも、もしかしたら同じ想いを持っているかも知れないのです。

九月十八日　金曜　くもり

どこかに旅に出たいと思う。子供だけの国か、無人島にでも行ってみたい。

くもった空の下に、ナナカマドの実がひどく赤く見える。ナナカマドの実が、いつ色づいたのか、わたしは知らなかった。

九月二十日　日曜　晴

風が激しい。兄からハガキがきた。東京はまだ暑い。北海道の涼しい風が恋しいと書いてある。そして末尾に、

「千香もそろそろ彼氏のできる年だな」

と書いてあった。

恋って一体何だろう。何かの錯覚ではないのか。白を黒と取りちがえるのが、恋ではないだろうか。

九月二十二日　火曜　晴

日勤を終えて、屋上にのぼる。

ふっと、この屋上から飛び降りたいと思った。裏の円山（まるやま）をぼんやり見ていたら、いつの間にか広川さんがそばに立っていた。

「いまね、屋上から飛び降りたいと思っていたの」

と言うと、広川さんはわたしをみつめて深くうなずいたが、

「生きることをやめる権利は、人間にはありませんよ」

と、少しきびしい語調で言った。

「なぜ?」

死のうと生きようと、自分の勝手ではないかとわたしは言った。

「千香ちゃん。病人たちはね、みんな、あなたたちのように健康になりたいと思っているんですよ。命の大切さを知らないナースに、本当の看病ができると思うんですか」

広川さんは怒ったように言った。

心の弱っているわたしを叱りつける広川さん。わたしには広川さんのやさしさが痛いほ

どわかった。

「千香ちゃん、あなたは子供ですね。まわりの人の気持が少しもわかってはいない」

広川さんはそう言ったまま、じっと山のほうをみつめていた。

六章

六　章

九月二十三日　水曜　くもり

「人間には、生きることを止める権利はない」

と、昨日広川さんはわたしを叱った。その言葉が幾度も思い出されてならない。ああ、生きるって一体何なのだろう。人間が生きることは、ただ単に肉体の命があるということではないのだ。

いまのわたしの生き方は、どこかまちがっているような気がする。でも、いまのわたしには、人を恋し、裏切られて憎む、それだけの生き方しかできないのだ。

きょうはお彼岸。彼岸って何だろう。彼の岸には何があるのだろう。

九月二十五日　金曜　雨

　帰りに杉井田先生と、一階の廊下ですれちがう。先生はちょっと行き過ぎてから、引き返してわたしを呼びとめた。

「君、詰所の連中は、この頃ぼくに、いやに冷たいね。なぜだろう」

　例の憂いを含んだまなざしで、わたしをのぞきこむように見た。

「仕事がやりづらくて仕方がないんだ。ぼくに何か落度があったとしても、公私混同されては困るんだ」

（ぼくに落度があったにしても？）

　わたしは黙って先生を見返した。

「まさか、君が何かつまらぬことを言いふらしたわけじゃないだろうね」

「つまらぬこと？　つまらぬことって何かしら。先生が栗巻可奈子さんに結婚を申しこんだことですか」

　言い捨てて、わたしはさっさと行き過ぎようとした。先生はうろたえたように、

「君、それは誤解ですよ」

と追いかけてきた。わたしは知らぬふりをして、さっと寮へ通ずる廊下に入ってしまった。男子禁制の廊下だ。

「君、それは誤解ですよ」

と言った先生の言葉が心に残る。誤解ならいい。誤解かも知れないという思いがしきりにする。可奈子さんからあんなにハッキリと、プロポーズされた、キスを幾度もしたと聞かされているのに、何とわたしは馬鹿なのだろう。

信じたいのだ。ああ、信じられるものならば……。

九月二十七日　日曜　晴

ひる休みに中庭に出た。杉井田先生や可奈子さんのいる病室から、一歩でも遠くにいたいのだ。

中庭の浅い水たまりに、青い秋空が深々と写っている。白い雲が時々流れて行く。深い湖にうつる空も、浅い水たまりにうつる空も、同じように写るのだろうか。だが、人間の浅い心、深い心にうつる影は、全くちがうものだと思う。ふっと広川さんをわたしは思った。

九月二十九日　火曜　晴

「栗巻夫人がお呼びですよ」

　午後の安静時間に婦長が言った。わたしは息をつめるように婦長の顔を見た。

「何かお話があるらしいわ。あなた、はっきり、杉井田先生のことを言ってくるといいのよ」

　婦長はそっと、ささやくように言った。わたしは意気地なしだ。対決がおそろしい。だが勇気を出して、可奈子さんの病室に行った。

　うす紫に、黒い竹の葉を散らした着物を、見るからに優雅に着た栗巻夫人だけが部屋にいた。可奈子さんは歯科の外来に行ったという。

「ごめんなさい、お仕事中なのに」

　栗巻夫人は、冷蔵庫の中からマスカットを出しながら言った。この病院では、特別室の患者にさからってはいけないのだ。院長といえども、時々ご機嫌伺いにまかり出る。だが、わたしは栗巻夫人のご機嫌伺いに来たのではない。

「昨日、杉井田先生から伺ったのですけれど、先生が可奈子にプロポーズなさったことで、看護婦さんたちが反感を持っていらっしゃるんですって？」

やわらかいものの言い方に、情のこもった黒い瞳は、すごく魅力的だった。

「さあ」

わたしはそっけなく答えた。

「杉井田先生は、わたくしにね、西原さんとは何の約束もしていないのに、看護婦さんたちが勝手に何かあるように思っているらしいので、迷惑しているとおっしゃるんですのよ。あなた、先生を愛していらっしゃるの？」

迷惑!?

迷惑しているという先生を、どうして愛しているなどと言えよう。わたしは断じて、愛していると言えなかった。

黙っているわたしを見て、栗巻夫人は微笑を浮かべた。

「ねえ、西原さん。杉井田先生って、一生を共にするような男性ではないようよ。先生は女を愛するという心のない人なのよ。うちの可奈子にプロポーズしたのを幸い、あなたはさっさと逃げだしたほうが、お幸せかもしれませんわ」

それなら、なぜ一生を共にするに価しない男性と、自分の娘を結婚させようとするのだろう。

「可奈子は、あなたのような純情なお嬢さんとはちがいますのよ。どんな男性でも、あの子は上手にあしらいますわ。ま、杉井田先生は、この際、可奈子におまかせになってくださいね」

夫人は、猫か犬でもゆずり受けるような調子で言い、マスカットをすすめた。

「あなた、杉井田先生とキスなさったの？」

キスをしようと何をしようと、わたしが答えねばならぬ義務はない。

「可奈子とは、もうキスを交しているらしいんですの。呆れた方よ、あの先生は」

夫人は形のいい眉をひそめた。

「とにかく、あなたと先生は何の約束もなかったし、別段どうということも、なかったわけですわね」

答えないということは、即ち肯定だと信じきっている夫人の顔をわたしは見た。わたしとは体の関係があった、結婚の約束もしていた、と言ってみたところで何になるだろう。夫人は別段、先生を信用しているわけでもない。わたしの告白を、

「あら、そう」

と、恐らく聞き流すだけに過ぎないであろう。わたしもまた、彼の心を今更呼び戻そうという気にもなれない。そのくせ、激しい憎しみだけが、わたしの心に渦まいている。わたしの心と体をふみにじった男に、一体何をするべきだろう。

「奥さん、杉井田先生が、どなたと結婚なさろうと、わたしには関係のないことですわ。で

も、可奈子さんがどんなに男の方を上手にあしらうからと言っても、結婚は一生の重大事だと思います。女の人の心のわからない杉井田先生と可奈子さんが結婚なさろうとするのを、黙ってごらんになるのですか」

夫人はおかしそうに笑って、

「それは、あなた、面白いからですよ」

わたしはギョッとした。一体何が面白いのだろう。わたしは手の甲を口に当てて笑っている夫人を、無気味な思いで眺めた。

十月二日　金曜　時雨（しぐれ）

窓から見える裏の円山（まるやま）の桜の葉が、少し色づきはじめた。自然でさえ、移り変るのだ。人間の心もまた、移り変ったとしても仕方がないではないか。そう思いながらも、杉井田先生への憎悪は深まるばかり。

深夜の民子さんと、準夜のわたしは、午後寝床の中で腹這（はらば）いになったまま、話し合った。わたしが、昨日の栗巻夫人の話をすると、

「へえ、それでも母親かしら」

と呆れていた。

「顔もよく似てるわ。母親でしょうよ」

「そんな母親ってあるかなあ。どこの親でもさ。自分の娘の亭主には、堅物でまじめな人をと思うじゃない?」

全くである。ふいに民子さんは布団の上に起き上った。

「あんた、本当に、もうあいつを愛していない?」

「愛してなんかいないわ」

本当にそう思っているつもりなのに、正面きって尋ねられると、わたしの心はゆらいだ。

「本当に愛していないのなら、わたしがあいつを誘惑してやろうかな。可奈子という女との結婚を妨害してやるのよ」

民子さんの目がぎらぎらと光った。わたしの胸がうずいた。

「民子さん！　もう、あんな人のこと、ほっといてよ」

「ほっとく手はないわよ。そうだ、こいつは面白いアイデアじゃない？」

民子さんは、私の復讐のために何をしてくれるというのだろう。民子さんが彼を誘惑するというのは、つまり、彼に抱かれることではないか。

わたしは、いやな気がした。

十月三日　土曜　晴

あたたかい陽ざしが、病室一杯に入りこんでいる。用事があって、小児科病棟の詰所に行ったらナースたちが二、三人、頭をよせていた。

「これを見てちょうだい。一年生の子よ」

婦長たちが、わたしに一枚の便箋を見せてくれた。小児科の子供に頼まれて、その子の受持教師宛に封筒を書いていたのだという。

「せんせい、おてがみありがとう。ぼくはだいぶげんきです。あのね、ぼくのおとうさんのうちは北一じょうにあるの。そして、おかあさんとぼくのうちはていねにあります。でも、うちは一けんしかないほうがいいとおもいますが、せんせいはどうおもいますか」

どんな事情かわからないが、父と母が別居か、離婚しているのだろう。わたしは胸をつかれて、涙が出そうだった。

「うちは一けんしかないほうがいいとおもいますが、せんせいはどうおもいますか」

この子は、小さな胸をどんなに痛めてこう書いたことか。男と女の生き方、夫婦のあり方を、わたしは改めて思った。

六　章

杉井田先生と可奈子さんが結婚したら、どんな夫婦になるのだろう。

十月四日　日曜　晴

午後、神社の方に一人でぶらぶら歩いて行く。花嫁を乗せた車を三台見た。きょうは佳い日なのだろうか。三人の花嫁は、それぞれ三様の生き方をしてきて、三様の未来をつくるのだ。わたしは、何食わぬ顔をして、どこかにお嫁に行けるだろうか。純潔を失ったということが、一生暗い影を落さないといえるだろうか。

黒い大きい鳥居を見上げて立つ。白い雲が鳥居の上を流れて行く。地上の人間にとって、鳥居はくぐるものだが、雲にとってはくぐるものではないということ、何だか面白い気がする。

ところで鳥居とは何なのだろう。神社のしるし、神社の門ぐらいにしか、わたしは思っていない。なぜ、神社には鳥居が必要なのだろう。この神宮の鳥居は、莫大なお金をかけて造ったという。そんなにたくさんの金をかけても造らねばならぬ理由、鳥居の存在理由がわからないということは、ふしぎな気がする。ぼんやりと鳥居を見上げていると、

「何をしているの」

突然、声をかけられた。思いがけなく広川さんだった。ぱっと心が明るくなる。鳥居の

ことをいうと、

「それよりね、千香ちゃん。君は君自身の存在理由を考えたことがある？」

広川さんが言った。わたしは黙って広川さんを見た。

「君、この間、屋上から飛び降りたいなんて言っていたでしょう。あれ以来、どうも気になってね」

広川さんは真実なまなざしでわたしを見た。

あの時、死にたいと思ったのは確かだった。そして、生きていることがむなしいのも変らない。かといって、死を思いつめているのでもない。そんなちゃらんぽらんなわたしなのに、広川さんは心にかけてくださったのだ。

わたしは、ふっと広川さんに甘えたい気持になった。二人で円山球場まで散歩した。広川さんの和服姿は品があって、落ちついていて、とてもいい。二人で、誰もいない球場の観覧席に腰をおろした。広川さんは、ちょっと離れて腰をおろした。

「誰もいない野球場もいいわね」

「ああ、いいですねえ。野球を見る時だけ、ここに来る人々には、野球場とは喚声と興奮の場かも知れませんがね。野球場には、こんな静かな姿もあるんですね」

「自分の知っている姿だけが、本当の姿とはいえないのね」

広川さんの肩に、赤トンボが羽を光らせてとまった。

わたしは、栗巻夫人の言ったことを、広川さんにも告げた。

「ほう、一生を伴にするに価しない男だと言いながら、娘との結婚を望んでいるんですか」

広川さんは、しばらく考えるようにしていたが、やがて言った。

「この球場と同じですよ。人間はいろいろな姿を持っていますからね。複雑な人間の真の姿は、その言葉だけでは捉えられないでしょうねえ。しかし、栗巻母娘とあの先生の間には、何かどすぐろい渦が巻いていることだけは、確かのようですね」

広川さんと話をしていると、いつもながら何となく心が和らいでくる。が、夕方準夜の勤務で、詰所に杉井田先生の姿を見たとたん、わたしの心の平和は破られ、憎しみをおさえることができなくなった。彼はわたしと何か話したがっていたが、わたしは避けた。一生顔も見たくない思い。

十月八日　木曜　晴後くもり

英字ビスケットを芙佐ちゃんが、一袋買ってきた。わたしと民子さんと芙佐ちゃんの三人は、秋陽の差す部屋で英字ビスケットを食べながら、紅茶を飲んだ。SやKは、杉井田、栗巻を連想して、何としても食べる気にはなれない。漢字ビスケットがあればいい。痴漢、色魔という字のビスケットを杉井田先生に送ってやるのだ。

「民子はバカだよ。杉井田なんか誘惑してみたって、奴は痛くもかゆくもないんだよ。民子の体をいただいて、ニタニタする位が関の山じゃないか」

芙佐ちゃんは民子さんに注意していた。

「そうかなあ。わたしだって奴を悩ますことぐらい出来るんだけれど」

「ダメだよ。栗巻漁業の娘と吾々では、勝負にならない。あいつは金に目がくらんだんだもの」

わたしは、まだ返ってこないわたしの通帳と印鑑を思った。もう返してもらいたくもない。

わたしはそのことを二人に言った。

「え？　お千香、それ本当？　バカだなあ。そんな、何十万もの通帳を預けてさ」

芙佐ちゃんは情なさそうな顔をした。でも民子さんは、

「千香ちゃん、それが恋よね。それが女の恋よね。千香ちゃんは立派だわ。わたしには、もう、そんな恋はできないわ」

と言ったかと思うと、ふいにはらはらと涙をこぼした。

わたしが出勤する夕刻まで、民子さんは黙りこくって何か考えこんでいたが、出がけに彼女は言った。

「千香ちゃん、やっぱり悪い男はこらしめようよ。他の男へのみせしめにね」

民子さんは、ひどくすがすがとした表情だった。一体、民子さんは何をしようというのだろう。

十月九日　金曜　くもり　風強し

失敗だった。誰よりも注射がうまいといわれているわたしなのに、きょう可奈子さんの静注を洩らして、紫に腫れさせてしまった。

「まあ、西原さんらしくないのねえ」

　可奈子さんは眉をしかめた。

「すみません」

　わたしはあやまったが、心の中ではいささかもすまないとは思わなかった。わたしが受けた痛みは、注射を洩らしたぐらいの痛みではないと、開き直る思いがあった。

「西原さん、わたしを恨んではいやよ。わたしはあなたが、先生を愛していたって知らなかったんですもの」

　甘えるように彼女はわたしを見た。

「恨んでなんかいませんわ」

「本当？　わたしは、西原さんが大好きなのよ。杉井田先生より好きなくらいよ。だから、怒らないでね」

この人だって、わたしから先生を奪おうと思ったわけではないのだ。悪いのは、杉井田先生だけなのだ。

「わたし、まだ正式にお約束したわけじゃないのよ。ママは、杉井田先生ほどの男性は、めったにいないってほめるけれど、わたしは考えているの。ママはね、西原さんと杉井田先生とは何もなかったのですって、とも言っていたわ。でも、わたし、ママのきらいな男性と結婚したいような気もするのよ」

向いあっていると、憎もうとしても憎めないような、無邪気な可奈子さんなのだ。わたしは侘しい気持で、注射洩れのあとをそっと湿布して、詰所にもどった。

詰所に帰ったわたしは、何もかもを投げ出して、どこか遠い所に旅をしたいような気になった。幸い、明日の体育の日は公休で、十一日からは深夜だ。十一日の夜の十二時までに出勤すればよい。

旅！　なるべく遠い土地に旅をしたい。

明日の一番の便で、九州に飛ぶことを思い立つ。

明日は目ざめよ

されど

今宵は夢を見よ

六　章

誰かの詩に、こんな一節があったっけ。

十月十日　土曜　晴

大型のハンドバッグに、化粧道具と日記帳を入れただけで小倉にきた。ステーションホテルに宿をとった。

誰も知った人のいない街。それは何とふしぎな感じであろう。わたしの名を知っている人は一人もいない。わたしがこの街で、何という名を名乗っても、誰もふしぎに思わない。

「北道みどり」

わたしは北海道の「海」をぬいた名を、フロントのカードに書きこんだ。二日間、わたしは西原千香子という名から解放されるのだ。

昨夜、母から借りた金がハンドバッグに入っている。さあ、北道みどりよ、二日の命を楽しむのだ。わたしはホテルを出て、午後の小倉の街に出た。

駅前の広い道を右に折れると、札幌の狸小路のようなショッピング街があった。活気のある街だ。いや、熱気といったほうがよい。

人間は植物ではないのだ。置かれたところに、じっと根をおろしていることはない。ある時はパッと、ちがう世界に身を置くべきだ。青春時代は行動するべきなのだ。

　そう思って、飛行機で飛んで来たのだが、所が変り、名を変えてみても、結局はわたしはわたしであった。井筒屋デパートの中に入って、ネクタイ売場の前を通った時、わたしはまたしても、あの杉井田先生を思い出していた。たとえ地の果てまで逃げたとしても、わたしはわたし自身から逃げ出すことはできないのだ。

　そんな単純なことが、九州まできて、わたしはやっとわかった。

　札幌の八月のような気温。

　夜も街をぶらぶら歩く。レストランで、一人夕食をとっていたら、中年の男の人が近づいてきて、

「君、一人なの」

　という。うなずくとわたしのテーブルの前にすわって、その人はビールとビフテキを注文した。

「君は小倉の人じゃないな」

　色は黒いが、歯ならびのきれいな、清潔な感じの人である。北海道からきたというと、

「北海道か。俺のおやじは、アリューシャンで死んだんだ」

　と言い、遠くを見るようなまなざしでビールをのむ。

「君も飲めよ」

その人はわたしにもビールをすすめた。言われるままにコップを差し出すわたしに、

「若い娘が、知らぬ男のビールなど飲んでは駄目だよ」

と、笑いながらビールを注いでくれた。

十月十一日　日曜　晴

　午前に小倉を発ち、福岡空港から羽田まで飛ぶ。羽田から兄のアパートに電話すると、折よく兄がいた。

「おにいさん、わたし今、小倉からの帰りなの。今夜、札幌に帰るのよ」

「何だ、今来たばかりで、もうきょうのうちに帰るのか」

　兄はタクシーで銀座の和光の前にすぐ来るようにと言ってくれた。

　わたしが銀座についた時、もう兄は和光の前で待っていた。兄の懐しそうな顔を見ると、わたしはなぜか涙がこぼれてならなかった。

「なんだ、泣いたりして……」

「だって……」

　わたしは笑ったが、やっぱり涙がこぼれた。兄は、なぜ旅に出たとも言わなかったし、わたしも黙っていた。二人は歩きながら、父母のことや、札幌の話をした。

「札幌のラーメンが食いたいなあ」

「おにいさんも、たまに札幌に帰ったら？」

「土曜に発って、日曜に戻るのか。千香のように、飛行機で出歩く身分とはちがうからねえ」

「まあ、皮肉ね」

　そんな他愛のない話をしながら、銀座から宮城の前まで歩いて行った。高校の修学旅行の時、二重橋前で記念写真を撮った時のことが思い出された。

「この間、ヘッセを読んでいたら、いい言葉が書いてあったよ。〈人生を明るいと思う時も、暗いと思う時も、私は決してののしるまい〉っていう言葉なんだよ」

　兄は、おほりの青い水を眺めながら言った。兄はわたしの心の世界は知らない。だが、何かが起きたことを察知して、こう言ったにちがいない。

「いい言葉ね」

「ああ、いい言葉に会うと、自分の心の中が押しひろげられるような気がするよ。千香はいま、何を読んでいる?」

「何も読んでいないの」

　わたしは何となく顔があからんだ。読書する余裕もない自分のこの頃の毎日の姿が、恥ずかしかった。

「そうか。まあ、人間何も読みたくないこともあるさ。ヘッセは、〈真に偉大な人物は、みな冥想(めいそう)することを心得ていた〉とも言っているよ。しかし、読めない時は、瞑想もできない時だろうな」

兄はそう言い、少し痛ましそうにわたしを見た。

「宮城の松も、排気ガスにやられているらしいよ」

人間は、いろいろな排気ガスで、人間自身をも植物をも枯らして行くのかも知れない。

銀座の裏通りの鳥銀で、早目に夕食をとる。焼鳥と釜飯を食べ、兄に送られて羽田を七時に発つ。十時過ぎ無事帰宅。母に博多人形と、東京の兄からのお小遣いを渡す。

「一人で行って来たの」

母がさぐるように言った。

「一人よ。無論」

わたしは、はっきりと答えながら淋しかった。

「そう。そうならいいけれど」

母は、わたしの淋しさに気づいていないようであった。

十月十四日　水曜　雨

旅から帰って、まだ僅か三日しかたたないのに、わたしはもう、もとの日常生活の中に引きずりこまれるように、以前と少しも変らぬ生活に帰ってしまった。二日ぐらい旅に出たって、人間は決定的に変るものではないのだ。

旅から引きつづいての深夜勤務で、頭が重い。

十月十六日　金曜　雨時々晴

きょうから日勤。

すっかり紅葉した山を眺めながら、患者の部屋で、

「きれいねえ」

と言ったら、

「秋は淋しくって、いやだねえ」

という言葉が返ってきた。そうだ。患者にとって、秋は美しいよりも、淋しい季節なのだ。

時々、時雨(しぐれ)がパラパラと過ぎて行き、太陽が雲に見えがくれするのを見ていると、健康で若いわたしてたちでさえ淋しくなる。紅葉の季節は、落葉の季節でもあるのだ。

ひる休みに広川さんの部屋に行ったら、柳子さんが枕もとの椅子にすわっていた。

「少し広川さん、熱が出てきたみたいなの。だから検温しているのよ」

柳子さんが、心配そうに言った。

「風邪かしら」

プルスをとると九十近い。

「困ったわねえ。広川さんは退院できそうで、なかなかできないのねえ」

そう言いながら、わたしは何だか急に不安になった。広川さんは治りきることのできない体なのか。もし、広川さんが健康体に戻れないとしたら……と思っただけで、不安が大きく広がる。

広川さんは熱にうるんだ目で、かすかに微笑していた。広川さんの熱は三十九度一分あった。

十月十七日　土曜　くもり

きょうも広川さんの熱は下らない。

「風邪じゃないのか」

受持の木下先生はそう言っていたが、広川さんの呼吸は苦しそうだ。柳子さんも不安そうに、

「本当に風邪かしら」

と、つぶやいていた。

可奈子さんも、きょうから八度近い熱発。風邪の季節なのだろうか。昨夜、一昨夜と気温が低かった。可奈子さんの熱は、わたしは少しも気にならない。同じ熱発なのだ。ナースとして、同じように心配して上げるべきなのだ。そう思いながらも、広川さんの熱だけが気にかかる。いや、正直に心の底までいうならば、わたしは可奈子さんの熱が、もっと高くなることとさえ願っているのだ。

（もし、可奈子さんが死んだなら！）

わたしは、そんなことさえ思っているのだ。

わたしがナースになったのは、病人に対して親切な看護婦になりたいということだった。それが、何ということだろう。いかに彼女がわたしから彼を奪ったとはいえ、ナースのわたしがその死を心ひそかに考えていようとは。こんな思いでナースをつとめるぐらいなら、いっそやめるべきだ。

栗巻夫人は、可奈子さんの熱が出ても、別段あわてもしない。

「あの子はどうせ、一日でも長く入院していたいんですもの。たまには熱でも出さなければねえ」

何という、奇妙な母親であろう。

わたしは、自分がまだ子供なのだと思う。母親の心というものが、わかる年ではないのだろう。それとも、あの夫人は、意識して、自分を母親のカテゴリから追い出そうとつとめているのだろうか。どこか悪魔的な人だ。悪魔的な存在というものも、変に魅力のあるものだ。

七章

七　章

十月十九日　月曜　晴

寮の庭に出たら、オンコの実が赤かった。根元にもパラパラとこぼれ落ちている。幼い頃、食べたねばりのある甘い味を思いながら、十粒程ひろってちり紙に包む。ちょっと指に力を入れると、ペタペタとつぶれてしまいそうな、可憐（かれん）な赤い実だ。

夜、熱を出している広川さんに、わたしはオンコの実を持っていってあげた。広川さんは、白いちり紙の上にあるオンコの実をみて、

「ああ、なつかしいですねえ」

と、そっとつまんで口に入れた。そして再び、

「なつかしい味ですねえ」

と、熱にうるんだ目でわたしを見た。こんなものでも喜んでくれる広川さんに、何でもして上げたい思いで一杯になる。

「何かほしいものがあったら、いつでもおっしゃって」

というと、

「そうですねえ。熱が下ったらショパンを聞きたいですね」

といった。

熱は今日も三十九度。ハルンの量が少くなっている。もし、尿毒症を起したらと、気が気でない。可奈子さんの熱は七度五分に下った。

十月二十二日　木曜　くもり

広川さんの熱、ようやく七度台になる。少し目がくぼみ、頬がこけた。

「また退院が延びちゃって」

広川さんは、ちょっと淋しそうだった。早く元気になってほしいけれど、広川さんが退院したら、わたしは淋しくなる。

夕食後、

「観楓会（かんぷうかい）をしようよ」

芙佐ちゃんが、両手にジュースとサイダーを二本ずつぶらさげて、部屋に入ってきた。わたしと民子さんは、机のひき出しから、食べ残りのバターあめやチョコレートを出して、三人で食べはじめた。

民子さんは窓のカーテンをあけて、

「観楓会といったって、まっ暗で病院の窓しか見えやしない」

と笑う。

「ねぇ民子。五人の女からプロポーズされた男が絶望のあまり、ピストル自殺をしたって、週刊誌に出てたの見た?」

「どこの国の話?」

「アメリカだか、フランスだか忘れたけれどさ」

「日本の国の話じゃないと思ったよ。日本には、五人の女にプロポーズされるような、すてきな男はいないもの」

「しかもさ。絶望のあまり、なんていうところがいいじゃないの。しゃれてるよ」

芙佐ちゃんと民子さんは陽気だ。芙佐ちゃんがつづけていった。

「日本には、二人の男に思われて、身投げをした女の人がいたっけ」

「昔むかしの話でしょ?　生田川の乙女とかいった?」

「何ていったか忘れたよ」

「うらやましいわ。わたしはこの若さで、まだ一度もプロポーズなんか、されたことがないんだもの」

民子さんは、小さなかわいい唇をとがらせた。

「変な男とばかり、つきあっているからよ」

芙佐ちゃんは手きびしい。

「でも、プロポーズされても、わたしみたいになることもあるわ」

わたしがいうと、

「あ、そうそう。お千香、あの印鑑と通帳を、あいつ、まだ返さないの」

芙佐ちゃんがジュースをコップに注ぎながらいった。

「ええ、まだ……」

「ふーん。じゃ、わたしが取り返してやる」

芙佐ちゃんの語気が強かった。わたしは、もう返してもらう気もない。杉井田先生とは、口などききたくもない。しかし、芙佐ちゃんが取り返したいのなら、それでもいいと思った。

十月二十三日　金曜　くもり

可奈子さんの病室に注射に行く。杉井田先生が、栗巻夫人と応接室で何か密談をしていた。肩をよせ合うようにして。わたしは二人を無視して応接室を通りぬけて、可奈子さんに注射する。

「ママと先生、まだそこにいるでしょ？」

可奈子さんが低くささやく。

「もう一時間も前から、先生ったらママとべったりなのよ」

可奈子さんの目が、ギラギラと牝猫(めすねこ)のようにひかっている。まだ微熱があるせいばかりではない。

「安静時間は、魔の刻(とき)なの。誰も病室に入ってこないから」

可奈子さんは、小さな舌をちらりと出して肩をすくめた。わたしには、もう関係のない事なのだ。そう思いながらも、やはり胸がうずく。四時間毎の注射だから、安静時間でも入らざるを得ないのだ。

注射のあとを、わたしは黙ってもんでいた。

「もう、あんな奴、未練がないわねえ、西原さん」

可奈子さんは甘えるようにわたしを見上げる。白いあごだ。そこへ栗巻夫人が入ってきた。髪が少しほつれている。

「ママ。ずいぶん長いご相談ごとね」

可奈子さんはあどけなくいった。

「あなたの病気のことなのよ。今度、熱を出したので、杉井田先生、とてもご心配なんですって」

「あら、じゃ、プロポーズは取り消すっておっしゃるの」

「いいえ、そんなことないわ」

栗巻夫人は、あわてたように首を横にふって、

「でも結婚できるのは、二年ぐらいあとになるかも知れませんって」

「そう、それはママにとっても好都合ねえ」

可奈子さんは、それはそれはやさしくいった。

「まあ、ママにとって何が好都合だというの」

栗巻夫人はちょっと気色ばんだ。わたしは、まだ少しこっている可奈子さんの注射のあとをそのままに、病室を出た。

七　章

詰所には、二、三人の医師と共に、杉井田先生がいて、レントゲン写真を読影していた。わたしの顔を見て、先生は手招きした。無視して注射器を洗いかけると、

「西原君！　呼ばれたらすぐ来なきゃだめじゃないか」

と、鋭い声が飛んだ。一瞬、詰所の中がしんとなった。無視しつづけようと思ったが、ナースは医師の指示に従って働く職制なのだ。仕方なくわたしは傍に行った。

「この写真を、外科の加沢先生の所に持って行ってくれ給え」

先生は傲然としている。ナースの誰かが、

「ふん、偉そうに、何さ」

と、聞えよがしにいった。わたしは黙って、加沢先生の所にレントゲン写真を持って行った。

涙も出ない。ふしぎに口惜しくもない。ただ軽蔑の感情のみがあった。

「あ、ありがとう」

加沢先生は医長室に一人いた。

「君、ずっと内科？」

加沢先生は、やさしく目を細めてわたしを見た。民子さんに妊娠させた男の顔を、わたしは見つめながら返事をした。

「はい」

「どう？　一度外科に勤務してみませんか」

「外科にですか」

　ふいに、わたしは杉井田先生の底意がわかったような気がした。

「悪いようにはしませんよ。少し早いが、主任になってもらってもいい」

「ありがとうございます。でも、わたくし、時々貧血を起しますので、外科勤務の体力はないような気がします」

　逃げるようにして帰った。レントゲン写真など、どうでもよかったのだ。杉井田先生は、わたしを内科から遠ざけようとしているのだ。むろん、栗巻夫人と相談の上のこと。栗巻夫人の金の威力と、杉井田先生の卑劣さ！　夜、眠られず。

十月二十六日　月曜　雨

風が絶えず体の中を吹きぬけて行くようなむなしさ。

わたしは、杉井田先生にとって、もはや無用の存在なのだ。いや、無用というより、邪魔な存在なのだ。わたしを外科に追いやろうと、あの人が画策しているということ。こんなむなしい侘しいことがあろうか。

今日から深夜勤務のわたしは、一日寝床に入ったまま、むなしいむなしいとつぶやいていた。

悲しみの感情は、怠惰の一種と誰かがいっている。むなしさは、悲しみよりも一層怠惰なのかも知れない。生きることさえ、おっくうになる。

十月二十七日　火曜　初雪

昨夜の雨が、今朝は雪になって、うっすらと地上を覆っていた。

初雪！　わたしには二十三度目の初雪なのだ。それなのに、もう百回も初雪を見たような、驚ろきのない感情。初雪が何だ、といいたいような、ふてぶてしい思いが頭をもたげている。

午後、四時間程眠って目をさますと、芙佐ちゃんが、枕もとにすわっていた。

「お千香、これ！」

芙佐ちゃんはわたしに貯金通帳と印鑑をつき出した。

「あら」

驚ろいて起き上ると、

「外を歩いてきて寒いから、ふとんの中で話そうよ」

と、床の中に入ってきた。

「お千香。わたしね、医局に入って行って、大きな声でさ、西原さんの印鑑と通帳をくださいって、いってやったのよ」

「まあ、困るわ」

「何も困ることはないよ。あいつったら、あわててわたしを廊下につれ出してね、何も医局であんなことをいうことはないって、怒るの。わたし、平気で大声でいってやった。それなら、どうしていわれないうちに返さないんです。先生はとうにお千香を捨てて、栗巻の娘にプロポーズしたんでしょうとね」

芙佐ちゃんは腹這（はらば）いになったまま、少し興奮したようにしゃべっている。

「そしたら杉井田の奴、ぼくは何も西原君を捨ててはいない、ぼくはいまも西原君を愛しているよ、だってさ。でたらめもいいとこじゃない？」

心のどこかが、ふっとうずく。

「だからわたし、たたみかけてやったのよ。じゃ、なぜ栗巻の娘などにプロポーズしたのよって。彼、さも困った顔をして、これには一口でいえない事情があるんだ、何も第三者の君に差出がましくいわれる筋合ではない。まあ、同僚として君が心配するのも無理はないがねえ、もう少し待っていてくれないか。そうしたら、ぼくの真実がわかってもらえる筈だ、などぬけぬけというのよ。何いってやんでえといいたくない？」

芙佐ちゃんはそういってから、しばらく黙っていたが、

「その通帳開けてごらん」

といった。開けてみると全額引出してあって、残金はゼロだった。

「わたしね、このまま返すつもりですかって、いってやったわ。そしたらね、君、これはね、ぼくと西原君の間のことなんだよ、とか何とか、口がうまいったらありゃしない。お千香、だまされちゃだめよ」

　芙佐ちゃんは、このまま引込んではいけない、慰藉料をとるべきだともいった。

　慰藉料なんて要らない。金などで、わたしの心は癒されはしない。

　芙佐ちゃんが帰ってから、残金のない通帳を、わたしはじっとみつめていた。芙佐ちゃんに責められている先生の姿が目に浮かぶ。何かかわいそうな気がしてならない。

（もしかしたら……）

　本当は、先生と可奈子さんは、それほど親しい仲ではないのかも知れない。先生が、もし栗巻夫人や可奈子さんとの仲が親密なら、この通帳に手をつけなかったのではないか。

　わたしは先生を避けて、先生の本当の気持を聞いてはいない。外科の加沢先生が、わたしを外科に招こうとしたことも、杉井田先生と無関係かも知れないのだ。もしかしたら、可奈子さんの言葉を、わたしは信用しすぎているのかも知れない。

十月二十八日　水曜　晴

午前一時、出勤したら、詰所に当直の杉井田先生がいた。

準夜のナースからの引継ぎが終ると、

「ちょっと話したい」

と、先生は処置室のほうに行こうとした。その時、病室から呼び出しのブザーが鳴った。

八号室の患者が、胸が苦しいという。先生に診ていただき、注射をして眠らす。

終ったかと思う間もなく、他の病室に呼ばれた。

「幽霊がいる」

と、二、三日前入院した若い男の患者がしきりに脅えている。六人部屋なのだ。

「幽霊など、どこにもいないのよ」

わたしがいくらなだめても、

「ほら、そこにいる。ああ、こっちを見ている」

と、部屋の隅を指さしている。

先生の指示で一応鎮静剤を打って眠らせたが、同室の患者がすっかり目をさまして、文句をいっている。

「あした、精神科に移してほしいな」

誰かが、不機嫌にそういった。

こんな騒ぎで、とうとう先生と話などするひまなし。

一体、先生はわたしに、何をいおうとしているのだろう。先生は始終やさしい表情をしていた。

十月三十一日　土曜　晴

風が強い。この間の初雪は一日で消えて、そのあとよい日和がつづく。今日も青空。澄んだ空も悲しいものだ。午後二時まで眠ってから、スラックスをはき、半オーバーを着て、街に行く。

侘（わび）しい時は、山道を歩いても、街を歩いても、心は慰められない。

本屋に寄って、パラパラと本をひらいていたら、

「深い悲しみは、果して深い喜びをもたらすだろうか」

という言葉が目に入った。それを読むと、ふっと誰かに手紙を書きたいと思った。

「わたしは悲しいのです。悲しい時は、涙が出ない。へんに歪んだ微笑だけが浮かぶのです。なぜなのでしょう、教えてください」

誰かに書きたいこんな言葉をわたしは思いながら本屋を出た。本屋から二、三町歩き、三越前まで行った時、いきなり、うしろから声をかけられた。ふり返ると高校時代のクラスメート、高山宇吉君。白いコック帽を冠（かぶ）り、白衣を着て、ニコニコ笑っている。

「あら、高山君、大学は？」

わたしは驚ろいていった。たしか高山君は東京のＳ大学に行っていたはずなのだ。

「やめたよ。ぼくは大学に行って、人生を考えなおしたんだ」

「どんなふうに？」

「ぼくにはぼくの人生があるってことさ。ぼくは、もともと勉強がそう好きじゃなかったけれどさ。みんなが進学するから、自分も進学したんだ。でもね、そんなことって、つまらんことだよね」

「それで？」

「食べることが好きだから、コック見習いになったのさ」

「ふーん、楽しそうね」

「うん、二十年後には、きっと札幌一うまい、焼鳥屋でもやっているよ」

　別れてわたしは、高山くんに感謝した。あれでいいのだ、若いということは。虚栄のない、すがすがしさ。自分を過大にも、過小にも評価しない賢さ、自分の道を着実に歩む質実さ。そういうものなのだ。

　わたしも、そんなふうでありたいと思った。わたしは、男性を見る目のない、ばかな女ですと自分をさらけ出して、だからといって卑屈にもならず、自分のばかを認めるべきなのだ。

それなのに、わたしは内心どこかで、こう思っているのだ。わたしはちょっとした美人だ。男から捨てられたなどということは、わたしの誇りがゆるさないと。

高山くん、ありがとう。わたしも、あなたみたいに、地に足をつけて、自分の道を歩いて行きます。

広川さんが、いつかいってくれた。

「この世に転ばなかった人は、一人もいませんよ」

人間にとって、転んだことは恥ずかしいことじゃない。起き上れないことが恥ずかしいことなのだ。さあ、汝に命ずる。起きよ！　西原千香子よ！

十一月一日　日曜　晴

せっかく、今日からはすがすがしく生きようと思ったのに、結局はまた侘しい一日だった。

夕方、勤務を終えて部屋にもどると、民子さんが鏡台の前で化粧していた。

「今夜、加沢と会うのよ」

尋ねもしないのに、民子さんはいってから、

「あんた、この間、加沢のところにレントゲン写真を持って行ったでしょ？　加沢ったら、あんたを見て、急に外科にほしくなったんだって。加沢ったら、つらっとしてわたしにそういうのよ」

「まさか」

わたしは民子さんが冗談をいっているのだと思った。

「あんた、まさか外科には行かないわね」

民子さんは目をひからせて、わたしを見た。

「いやねえ、行かないわよ」

「それならいいけれど……」

急に民子さんは、弱気になっていった。

「ね、千香ちゃん。わたしってばかね。やっぱり、加沢だけは誰にも取られたくないの」

そして、黙って眉毛のむだ毛を毛ぬきで一心にぬいている。女が妙な男に会うために化粧している姿はかなしいと思う。

加沢だけは誰にも取られたくないという民子さんの気持はよくわかる。わたしだって、やっぱり杉井田先生だけは誰にも奪われたくない。

それにしても、加沢先生が自分の意志で、外科にわたしを誘ったのであって、杉井田先生が頼んだのではないらしい。杉井田先生が、わたしを外科に追い払おうとしたのではないのだ。やっぱり、わたしは先生を少し誤解しているかも知れない。

十一月二日　月曜　晴

十月小春というけれど、今日も小春日和としかいいようのないよい天気。紅葉はとうに終ったが、落葉松(からまつ)やポプラの黄色がまだ美しい。

今日十三号室に入った患者は、尿毒症で重態。ここしばらく、重患がいなかったので、詰所は緊張している。あと数日しか持たないのではないか。むくんだ青い顔。

珍らしく、内科の詰所に加沢先生が来ていた。婦長と何か話をしているのを見て、何となくはっとする。加沢先生はわたしを見て、

「やあ」

と愛想がよかった。

昨夜、一時過ぎに帰った民子さんの顔を思い浮かべながら、わたしはさり気なく会釈をした。

十一月四日　水曜　くもり

十三号室の患者、依然重態。まだ四十歳前。奥さんが、洗面所でハンカチを目に当てて泣いていた。中学一年生の男の子は、むっつりとベッドのそばで父親をみつめている。まばたきもせずに。まるで、父親の顔をしっかりと目の裏に刻みつけようとでもするように。

院長も医長も、二度ほど十三号室に顔を出した。

ひる休み、食堂でラーメンを食べていると、杉井田先生が定食の膳を持って、わたしのそばにきてすわった。思わず胸がドキンとする。ナースが一斉にこちらを注視しているようで、顔も上げられない。

「君、印鑑と通帳、長いことありがとう」

先生は低い声でやさしくいった。

「いえ、あの……」

「あのナースは、恐ろしい人ですねえ。声が大きいので参りましたよ」

「すみません」

わたしは思わず、自然にそういってしまった。

「ぼく、あの通帳を返したくなかった」

　先生は独り言のようにいった。

「返す時は、倍にして返したかったんです。君、何だかぼくは、たくさん誤解を受けているようで、辛いんですよ。栗巻さんのことも、ぼくは君に聞いてほしいんです。ぼくの気持は少しも変っていない。次の休みにでも、ゆっくり話し合いたいですねえ」

　低い低い声で、先生は早口にいった。わたしは、一度先生の話を聞いてもいいような気がした。

　ラーメンを半分残して、わたしは先生より先に席を立った。

　何か、久しぶりに重い気持から脱け出たような気がする。でも、決して期待はするまいと思う。ただ納得がいけばいいのだ。そのために、わたしは先生と話し合えばいいのだ。

七　章

十一月五日　木曜　雨

酒は人類の卑劣な象徴だと、朝、民子さんが寝床の中で腹這いになりながらいっている。

「だってさ、酔っぱらわなきゃ、好きも嫌いもいえないんだもの」

加沢先生とでも、ゆうべ何かあったのだろうか。

「医者なんてきらい！　大きらい……」

民子さんは小さな唇をとがらせている。

「加沢先生はどうか知らないけれど、大体の先生方はまじめよ。特に内科の原田先生や、外科の進藤先生など、立派だと思うわ」

本当に原田先生や進藤先生は、患者第一の熱心な先生だ。二人共若くきれいな奥さんがいらっしゃって、ナースとうわさにのぼるようなことはない。

帰りに広川さんの部屋に遊びに寄った。広川さんは、寝たままリンゴの皮をむいていた。

「久しぶりですね、千香ちゃん」

「あら、いつかもそんなことといったわね」

「いや、遊びに来たのは、久しぶりですよ」

「本当ね」

わたしは広川さんのそばにくるのが、恐ろしかったのだ。わたしの、むなしさも揺れ動く感情のみにくさも、広川さんにはすぐ見透かされてしまうような気がするのだ。

「生きているうちに、生きること、という言葉を知ってますか」

知らないというと、広川さんは笑って、

「ぼくの言葉ですよ。何だか千香ちゃんを見ていると、生きるということがわかっていないような気がして、淋しくなりますよ」

と、いった。

「生きるって、どんなことなの」

「ぼくにもよくはわからないけれど、あなたのように、何の目的も持たずにふわふわと生きていることではないということ、それだけは確かですね」

広川さんは、ハッキリといった。

「千香ちゃん。あなたは、生きているという確かな手ごたえを感じますか。本当の意味で充実感がありますか」

「千香ちゃん。人を愛するというのは、美しいかも知れない。あるいは愚かしいといってもいいかも知れませんね。美しさと、ある種の愚かさは、往々一致しますからね。でも、好きとか嫌いとかいう感情生活だけが、青春だと錯覚しないでくださいよ。むしろ、意志するところに青春があるはずなんです」

そんなことも、広川さんはリンゴを食べながらいっていた。

広川さんは、やはりわたしの心の動きを知っているのだ。やっぱり、こわい人だと思う。

広川さんと柳子さんとの間はどんな風になっているのだろう。

十一月六日　金曜　くもり

出勤した途端に、杉井田先生に十三号室に注射に行くように命ぜられる。注射薬の名を聞いただけで、わたしは思わず一歩退いた。

「わたしにはできません」

重態で、助かる見通しのない患者とはいっても、わたしにはできない。

「看護とは、ある人間を手助けして、その人の健康を維持増進させ、あるいは健康を回復させることであり、時には安らかな死に至らせることである」

看護の本の中で、わたしはこの言葉を読み、戦慄（せんりつ）したことがあった。だが、それは看護の本の中でのことであった。それがいま現実となったのだ。

一歩退き（ひ）下ったわたしに、杉井田先生は、

「君の気持はわかるけれど、しかし、あの患者をあれ以上、苦しませるわけにはいかないんです。注射してください」

先生は哀願するようにいった。わたしは答えられなかった。

「命令です。すぐ十三号室に行きなさい」

わたしはふるえる手で注射の用意をした。わたしはわたしにこのことを命じた先生の心の中がわからなかった。憎いからか。それとも信じてくれているからか。

十三号室の前に、奥さんが親戚の人たちと疲れた顔で話をしている。もう、泣いてはいない。のろのろと視線をわたしに移しただけだった。

(附添っている奥さんも、疲れきっているのだ)

勇をふるってドアに手をかけたが、何としても開ける気にはなれない。この注射をしたら最後、再び目をさますことはないのだ。その仕事をわたしがしなければならないなんて。

これが、質の高い看護か、質の低い看護か、わたしは知らない。わたしはそのまま、物を忘れたようなふりをして、ドアの前から引返し、詰所に帰った。

杉井田先生が、

「ご苦労さん」

といった。わたしは頭を横にふり、

「わたしにはできません。先生がなさってください」

と、先生の向っている机の上に、注射器を置いて、逃げるように詰所を出た。

わたしにこんな残酷な仕事を命じた先生の真意は何か。この仕事をできぬわたしには、ナースとしての資質がかけているのだろうか。

七　章

今日ほど、わたしは自分の仕事の重大さを感じたことはなかった。

十一月七日　土曜　うすぐもり

今朝出勤したら、十三号室はもう空だった。昨夜七時に亡くなったという。何ともいえない気持だ。

死とは一体何だろう。急に死が恐ろしい。いや、ナースであることが恐ろしい。

午後、内科の病棟をまた加沢先生が歩いていた。通り過ぎてからふり返ると、可奈子さんの病室に入って行った。わたしは何となく奇妙な気がした。外科医長の加沢先生が、可奈子さんに何の用事があるのだろう。可奈子さんが外科診療を要することは、まだ聞いていない。

可奈子さんに用事か、夫人に用事か。わたしはなぜか、気にかかってならなかった。

七　章

八章

八　章

十一月八日　日曜　晴

けさ、変な夢を見た。

民子さんが自殺したと、誰かが教えてくれた。わたしは車に乗せられて、山道を行った。細い細い道で、人一人しか歩けないような山道を、ふしぎなことに車はするすると音もなく走って行く。

すると、高い煙突のある建物の前に出た。「焼き場ですよ。この焼き場のかまの中で、民子さんは死んだのです」

そう言っているのは、外科の進藤先生のようなのだ。かまの中で自殺したと聞いても、わたしは少しも驚ろかない。いい場所を考えついた民子さんは、なかなか頭がいいとしきりに感心していた。

わたしはすぐ、焼き場のドアをあけた。お棺を入れる時にひらくドアだ。そのドアは、もう赤錆（あかさ）びていて、ずいぶん古いもののようだった。が、ドアはすーっとあいて、わたしは一人その中に入って行った。

　ところどころに火が燃えていて、少し熱かった。かまの奥は広い広い二百畳ほどもある広間で、青畳がきれいに敷いてあり、着物を着た子供たちが遊んでいる。天井に明るい大きな窓がいくつもあって、日がさしこんでいる。

（なーんだ、焼き場のかまの中って、こんなに広いのか。全然知らなかった）

　そう思いながら、広間の片隅に死んでいる民子さんのそばによった。薬を飲んで自殺をしたという彼女のそばに、誰かが死んでいた。男のようでもあり、女のようでもある。明るい広間の中なのに、その部分だけがひどく暗いのだ。

　民子さんの死顔がとてもきれいだった。じっと見つめていると、急に悲しくなって、

「どうして死んだのよ、どうして死んだの」

　と、わたしはおいおい声をあげて泣いた。

　民子さんがぽかっと目をあけて、

「だって、死にたかったの」

　と、にっこり笑った。何だか、その顔がひどく淋し気で、肌が透いて見えるような感じだった。民子さんは本当に死んだのだなあと思って、わたしはまた泣いた。

　目をさますと、民子さんは白いぷりっとした肩をむき出しにして臥ていた。ほっと一安心。だが、何となく気にかかる。民子さんには、この夢を告げず。

十一月十日　火曜　氷雨

院長回診。内科医六人を、ぞろぞろ従えて行く院長。いつか芙佐ちゃんが、

「大学教授を夢みて敗れた院長の、妄執の姿よ」

と、手きびしい評をしていたことがあった。大学教授の総回診は、もっとぞろぞろお供が多い。

院長回診の間、杉井田先生が時々、わたしに視線を投げかけてくる。熱っぽい目！　もう諦めていたつもりなのに、やはり心が揺らぐ。

（一体どうしたら……）

先生は、一度ゆっくり話をしたいと、前から言っているのだ。わたしはそれを避けてきた。とにかく、先生が可奈子さんにプロポーズしたという理由をきいてみようか。いや、今更聞いてみたところで、仕方がないのだ。

先生の今日のまなざしが、どうしても胸から離れない。

十一月十一日　水曜　くもり後雪

午後から雪が降りはじめ、とうとう真っ白になってしまった。

準夜勤務に出ようとしていると、民子さんが、

「ねえ、やっぱり杉井田を誘惑してみたいな。そしてさ、栗巻可奈子との話を、こわしてやりたいな」

と、楽しそうな顔で言う。わたしは黙っていた。黙っているわたしに、民子さんはなおも言った。

「ね、いいでしょ?」

「つまらないことを考えちゃ駄目よ。民子さん、あなたもっと自分自身を大切にしなくては……」

わたしはもっともそうなことを言った。

民子さん、あの人にさわらないで!

八　章

十一月十三日　金曜　晴

一昨日の雪は、もうあとかたなく消えて、ぬれぬれと青い芝生に日がさしている。柳の葉も、まだ意外に青い。

可奈子さんに洗髪を頼まれる。

可奈子さんの髪はやや赤く、やわらかい。細いうなじを見せて、素直に洗われている可奈子さん。少し力をこめて、洗面器の湯に顔を押しつけたなら、可奈子さんは窒息して死ぬだろう。ふとわたしは、そんな恐ろしいことを思った。殺意などないつもりでも、ふいに殺意が湧くということだって、人間にはあるのではないか。

他の患者たちは、洗面所で洗髪する。だが、特別室の可奈子さんは、自分の部屋の洗面所で、のんびり洗髪できるのだ。廊下から応接室を隔てたこの病室は、奥まっていて何か密室の感じだ。その密室の感じが、ふいに殺意にかりたてるものを持っているような気がする。そして、恋情を抱かせることも……。

「ねえ、西原さん。杉井田先生って、人に誤解されやすい人なのね。この頃、やっとわかってきたわ。あの人、人に思われるままに、思わせておくことがあるのよ。ママと仲がいいと思っていたけど、どうもそうじゃないらしいわ。弁解がきらいな人なのよ、きっと」

わたしは黙って、彼女の頭をごしごしと洗っていた。可奈子さんは、彼を本気で愛しはじめたのかも知れない。

十一月十四日　土曜　晴

ひる、広川さんの部屋に配膳に行ったら、休日の柳子さんが和服を着て、遊びに来ていた。柳子さんは、いそいそと床頭台から箸箱や醤油を出してあげ、自分の持ってきたサラダを膳の上においた。

何となく淋しかった。広川さんにとって、柳子さんがわたしよりも近い存在だということの淋しさか、わたしに恋人がいないということの淋しさか。

午後の検温の時、広川さんの顔を見ても、なぜか、いつものように微笑することができなかった。黙ってプルスをとっていたら、

「千香ちゃん、何を怒っているの」

と、広川さんに言われた。

「別に怒ってなんかいないわ」

「そうですか。しかし何かよくないものが胸につかえている顔ですね。その顔は、ぼくのところだけでやめておきなさい。千香ちゃんらしくないから」

少しきびしくたしなめられて、自分がへんに惨めになった。わたしはナースじゃないか。

ナースが患者に不機嫌な顔を見せるなんて！

でもね、広川さん。

わたしは、あなたにだけ、あんな顔を見せたのです。きっとわたしは、あなたに甘えているのです。あなたはわたしにとって、単なる患者ではないのです。おにいさんのように、慕わしい存在なのです。

八　章

十一月十五日　日曜　晴

何から書いたらいいのだろう。わがペンよ落ちつけ。順序よく、書きつらねよ。ワーッと声をあげたい思い。人間の言葉は、人間の感動を伝えるには、余りに不完全なのだ。苦渋のかすかに残る喜び……といってもまだ正確ではない。そんな言葉にならぬ感情があるものなのだ。

今日は休日、昨日に引きつづいての快晴で、久しぶりに家へ帰ろうと思っていたら、電話。受話器をとると、思いがけなく杉井田先生の声。寮に電話をくれたことなど、一度もなかった。

「君が今日、休みだと知ったものですから……。ちょっと会っていただけませんか」

と言う。

夕方まで、家に帰って手伝い、五時半に約束の「みなかわ」に行こうとしたら、母はつまらなそうな顔をしていた。「みなかわ」はわたしは初めて。一階は和食堂で、二階は小上りにふすまのついたような三畳の部屋ばかりならんでいて、ちょっと妙な感じだった。

先生は先にきて待っていた。この小さな部屋で差向いになると、何か久しく会わない人に会っているような気がした。

「よく来てくださいましたね。君はもう会ってくれないのかと、心配していたんです」

　先生はそう言って、しばらくじっとうつむいていた。どうしたのかと心配になるほど、先生は黙然とうなだれていたが、やがて、

「ぼくが彼女にプロポーズしたということは、本当です」

　と、顔を上げて、きっぱりと言った。どこか必死という感じの表情だった。

「しかし、これにはいろいろと複雑な事情があるんです。むろん、こんなことになる前に、ぼくは君に何もかも打ち明けて相談すべきだったんです。でも、ぼくは君だけは信じてくれると信じていたんです。ぼくと君とは、もう他人じゃないからと、甘えていたんですね」

　先生は、何とも言えない胸の痛くなるような目で、わたしをみつめた。

　先生の話によると、ちょっと話があるからと、栗巻夫人に食事に誘われたことがあった。話というのは、内科の研究費に百万寄附をしたいという申し出であった。これほど多額な寄附は、病院としては初めてで、院長はじめみんな非常に喜んだ。そして院長からは栗巻母子には特に手落ちのないようにと、主治医の自分と医長に注意があった。

　問題はその後にあった。寄附を受けてから何日かたって、あらためて栗巻夫人から相談を持ちこまれた。可奈子についての相談だった。

「実はね、千香子さん。このことは外聞をはばかるんですが……。あの可奈子という娘は、夫人の実子ではないんです」

　夫人には子供がなく、可奈子は夫人の妹の子であった。

「どうやらあの娘は、夫人の妹と、栗巻氏の間に生まれたらしいと、ぼくは推量しているんですがね」

　先生はそうも言った。

　先生が夫人から聞いたところによると、可奈子はかなり魔女的な性格で、十四、五歳頃から既に男の友人が多く、性的にも乱れ勝ちであった。これでは、栗巻家の一人娘が、どんな男と結婚するか、心配でならない。

　幸い、可奈子は先生にかなり心を惹かれているようだから、形だけでもプロポーズしてほしい。むろん、あんな娘でも、もし気に入ったら、結婚してもらってもいいが、何よりも、あの子に性的な交りのない男女のあり方もあることを、教えてやってほしい。

　今まで、さんざんわがまま勝手にふるまってきた娘だから、半年か一年で、破談の憂き目に会うのも、いい薬になると思う。それにこりて、少しは真面目に生きると思う……。

「栗巻夫人は、そんなことをいろいろとぼくに話してくれたんです。ぼくは口が下手で、どうもうまくは言えないんですが、夫人に切々と訴えられると、何とかして上げねばという気になってしまったんです……」

　可奈子は非情に嫉妬(しっと)深い性格で、夫人が外出すると、きっと誰か男と会ってきたにちがいないとか、可奈子のボーイフレンドを夫人が取ったとか、常にいいがかりをつける。夫人はほとほと娘に手を焼いている、という話でもあった。

　わたしはちょっと信じられなかった。わたしには、可奈子さんは子供のように無邪気に見えるのだ。

「その無邪気さが曲者(くせもの)なんですよ。彼女はぼくと幾度もキスをしたなどと、夫人にもいっているそうですがね。全くのでたらめなんです。彼女はぼくが病室に行くと、すぐ唇を自分でなめて、口紅をうすくぼかしてしまうんです。はじめは何をしているのかと思いましたが、ある日手鏡をのぞきこんで、キスしたあとの唇に見えるでしょといったので、ぎょっとしたことがありましたよ」

　先生はそんなことも、ぼつぼつと語った。だが、いくら夫人の言葉に動かされたにせよ、可奈子さんにプロポーズしたということは、わたしには納得できなかった。わたしの存在など、無いのと同様ではないか。そう言うと、

「むろんあなたの言うとおりです。でも、ぼくも院長から言われていることでもあり、微妙な立場でしてね。どうせ初めから結婚するつもりはないので、一芝居打ってもいいと思っ

たんです。その辺の心理というか、事情というのは、第三者からみると、納得できないものかも知れませんがね」

　言われてみると、全然わからないわけでもない。しかし、それ以来先生の態度も確かに変ったし、今頃、事情を聞いても素直には肯定できない。

「敵に知られてならないことは、味方にも語ってはならない、という言葉がありますからね」

　しかし、夫人と先生の話合いで、こっそりとなされたプロポーズがおおっぴらになり、先生は看護婦たちに白眼視されていて、どうも仕事がしづらいと嘆いていられた。

「でも、あなただけは、ぼくを信じてください。誰に何と言われてもいい。君さえ信じてくれれば、ぼくは勇気が出るんです。どうか、ぼくを信じて、もうしばらく待っていてくれませんか」

　先生は涙を浮かべんばかりの、ひたむきなまなざしでわたしを見た。そのまなざしにわたしは、

「だますより、だまされよ」

　という言葉を思って、うなずいた。もし先生が、可奈子さんと結婚するつもりなら、わざわざこんな話をすることはないはずなのだ。

　天ぷら定食を食べて、わたしたちは街に出た。少し風はあったが、二人は夜の裏通りを

肩を並べて歩いた。

「そのうちに朝里温泉か定山渓にでも、ドライブしませんか」

先生は初めの頃のように、初々しく誘ってくれた。タクシーで寮まで送ってもらう。別れる時、痛いほどの握手を交しただけで、少し物足りなかったが、清々しい思いだった。

部屋に帰ってよく考えてみると、可奈子さんの、

「ママは杉井田先生に恋していると思う?」

と言ったことや、

「ママは若い人たちと恋愛をしてきた不良なのよ」

と言った言葉が、あらためて思い出された。そして、

「可奈子は、あなたのような純情なお嬢さんとはちがいます。どんな男性でも、上手にあしらいますよ」

と言った夫人の言葉や、杉井田先生を愛される資格のない男だと言いながら、なぜ可奈子さんと結婚させるのかと尋ねた時の、いかにもおかしそうに、

「それはあなた、おもしろいからですよ」

と言ったあの言葉など、今にして腑に落ちたような気がした。

「誤解をしないように」

と、先生が書いてくれた手紙も、真実だったのだ。やはりわたしは、先生を曲解しすぎていたのだろうか。

何となく、まだ全幅的には信じられないけれど、信じてもいいような気がする。

十一月十七日　火曜　くもり

外来の廊下を通ると、患者がぐっとふえているのが目立つ。やはり初雪が過ぎると、毎年のことながら病人がふえるのだ。

原田先生の外来担当の日が、一番患者が来る。杉井田先生の外来も割合多い。

診察を待っている患者たちは、みんなどこか、宙を見つめているような、冴(さ)えない顔。同病相憐(あいあわ)れむというお互の連帯感はない。隣同士、全く無関係のような感じ。入院患者とはちがう雰囲気。

午後の安静時間のあと、可奈子さんの部屋に薬を持って行く。栗巻夫人は応接間で手帳をひらいていた。わたしが病室に入ると、夫人も入ってきた。

「もう、家へ帰りたくなったわ、西原さん」

可奈子さんが言った。

「わたしも、病院と家の往復は、もうくたびれましたわ」

夫人も言う。

「でもね、西原さん。ママは病院も案外楽しいらしいのよ」

無邪気そうに言う可奈子さんに、

「何が楽しいものですか」

夫人は眉根をよせた。

「ママ、いいこと教えてあげる。家に帰ったら、仮病をつかって、加沢先生や杉井田先生に往診していただいたら……」

わたしは半分まで聞いて、病室を出た。出会い頭に、加沢先生とぶつかりそうになる。可奈子さんは、嫉妬心が強いと言っていた。だが加沢先生は、一体何の用事なのだろう。

十一月二十日　金曜　雨のち小雪

ひる休みに、詰所の窓からぽかんとして、降る雪を眺めていた。ぽかんとしていることって、幸福な状態だと思う。心にかかるものがあっては、人間ぽかんとはなれない。

今年はオーバーを一着買おう。胴のきゅっとしぼった型。それともショートケープのついた型。色は目のさめるようなグリーン。反対に、誰の目もひかないグレー。

ちょっとそんなことを考えてみる。のんびり服装のことなんか考えることができるのも、幸せなのだ。つまり、今日のわたしは、近頃になく幸せな状態なのです。無風状態なのです。少し、浅はかな幸せみたいですけれど。

十一月二十一日　土曜　雪

またぞろ銀世界。庭のニレやら、ナラの幹が、雪の中にくろぐろと美しい。

日勤を終えて、広川さんの部屋による。同室の吉田くんが退院して、このところ広川さん一人。

「顔色がいいですね」

布団の上にあぐらをかいていた広川さんが、わたしを見て言った。

「あら、ナースのほうが、顔色のことなど言われて」

と笑うと、

「元気になりましたねえ」

広川さんは笑わずに言った。

「元気になっちゃいけない？」

「いや、いけないことはないけれど、人間は、何によって元気になるかということも、問題ですからね」

と、まじめな顔をした。わたしは、よほど杉井田先生から聞いた話をしようかと思ったが、やめた。何か笑われそうな気がしたからだ。

「広川さんはお元気？」

「ええ、元気ですよ」

「何によってお元気なの？　柳子さんによって？」

「人間は人間によって本当の元気を、つまり生きる力を与えられるかなあ」

「人間は人間によってのみ、生きる力を与えられたり、失ったりするのではないかしら」

　わたしは反問した。

「人間を信じられる人の言葉ですね」

「じゃ、広川さんは人間を信じられないの」

　広川さんはうなずき、自分自身をも信じられないのにと、つぶやくように言った。何だか急に淋しくなる。人間同士が信じあえないなんて、淋しいと思う。

　わたしは人間を信ずる！

　信じて生きて行く。

　信じられないという考え方はいや！

十一月二十二日　日曜　晴

朝目がさめて、ふっと昨日の広川さんの言葉が甦る。

「人間を信じている人の言葉ですね」

　あの時広川さんは、

「人間なんか信じられませんよ」

　と、言いたかったのではないだろうか。

　長い髪を乱して寝ている隣の民子さんの、少し脂の浮いた白い顔をじっと見ているうちに、わたしはこの人を信じているのだろうかと思った。気のいい人だとは思う。同室に眠るということは一つの大きな信頼だ。殺されはしないかと思う相手とは、安心してねられる筈がない。

　確かにわたしは、安心して民子さんと眠ることはできる。しかし、民子さんを杉井田先生の部屋で寝させるわけにはいかない。と言うことは、そこに信頼の限界があることを意味しているのではないか。つまりわたしは、その点では民子さんをも、杉井田先生をも信じていないということなのだ。

もし、この社会の人々を信ずるなら、夜ねる時も、外出する時も、鍵をかける必要はない。鍵は「信じちゃいませんよ」という告白でもある。考えてみると、大半の人を信じないでわたしたちは生きているのだ。けれども、その中の一人ぐらいは信じられる、と思っているだけなのかも知れない。

この世に絶対嘘を言わない人がいるだろうか。嘘を言うということは、つまり裏切る可能性があるということだ。そう考えると、人を信じられないなんて！と思っていた自分に自信がなくなる。わたし自身、まだ自分を凝視することを知らない幼稚な人間であることに気づく。

二十三歳という年齢が、こんなに幼稚であってはならないのに……。

十一月二十三日　月曜　くもりのち雨

休み。勤労感謝の日。

朝から洗濯をし、午後家に帰ろうかと思ったが、やめて本を読むことにする。近頃あまり本を読まなかった。広川さんの部屋に本を借りに行く。途中詰所による。

柳子さんが日直で一人詰所にいた。この頃勤務がくいちがって、柳子さんと話をするひまがない。柳子さんにどんな本を読んだらいいかと尋ねたら、

「あなたはもっと、政治や社会に関心を持たなくちゃだめよ。孫文のものなど読んだらいいと思うわ。〈耕すものが、その田を持つ〉なんて言ってるの。実に平明なよい言葉じゃない?」

などと熱心に言う。わたしは政治のことなど考えたことはない。柳子さんにはかなわない気がする。

「わたしは、もっと自分をみつめる本を読みたいと思ったのよ」

すると彼女は即座に言った。

「シェイクスピアをお読みなさい」

広川さんの部屋に行って、柳子さんの言葉を告げる。広川さんは、

「彼女らしいですね」

　と微笑して、

「あなたにはヘルマン・ヘッセがいいな。それと、ちょっと忍耐を要するけれど、ドストエフスキーを読んでほしいですね」

　と言った。そしてまた、

「千香子さん、ドストエフスキーは、堕落の中で最も軽蔑（けいべつ）すべきものは、他人の首にぶらさがることだと、『未成年』の中で言っていますけれどね。怒らないでくださいよ。あなたには、どこか、そんな言葉を銘記しておくべき甘さがありますよ」

　広川さんは、あなたはまだ主体性を確立していない。いつも誰かに依り頼んでいる。確固たる歩みをしていないと、きびしく言った。いくらきびしく言われても、広川さんの言葉には、どこか言いようもなく暖かで、説得力がある。わたしは、素直にそのとおりだと思った。広川さんや柳子さんのように、自分の足で確実に歩いているという姿と、わたしはちがう。なぜちがうのか。

　夕べの雨を、自分の部屋に帰ってじっと眺めていると、何か淋しかった。借りてきたドストエフスキーの「白痴」を読む。

十一月二十五日　水曜　晴

芙佐ちゃんと、病院から真っすぐ街に出る。芙佐ちゃんは背が高く、肩幅も広い。何だか男の人といるような頼もしい感じだ。

なまあたたたかい風がやわらかく吹いて、春の夜のようだ。今年は根雪が遅いのかも知れない。

「朝鮮料理を食べようか」

芙佐ちゃんと、三越の前で電車を降り、盛り場のすすき野のほうにぶらぶらと歩いて行く。たくさんの人が、舗道をぞろぞろと歩いている。

「このたくさんの人を見て、お千香はどう思う?」

と言うので、

「この人たちは、幸せなのかしら、不幸なのかしらと思うわ」

「ふーん。わたしはね。このたくさんの人間共を生んで育てた親たちは、つまりこの人数の倍いるわけだなあと、思っちゃうよ。男と女の二人がいないと、人は生まれないからね」

と笑って、

「だけどさ、ある男の人はこう言ってたよ。雑沓（ざっとう）の中にいると、ふいに飛行機の上から、機銃掃射でダダダダと、みな殺しにしたい思いにかりたてられるってさ」

「いやね、こわいわ」

「そういう男は、山の中で一人の女に会ったら、たちまち飛びかかって、やっぱり殺したくなるんじゃないかな。男なんて、結局はそんな残忍性をひそめて生きているんだよ」

「そうとばかりも言えないわ」

　わたしは広川さんのことを思って言った。杉井田先生のことを思わずに、広川さんのことを思ったのは、いかなる心理か。

　すすき野の十字路で、信号が赤になった。

「あ、加沢先生じゃない？」

　目の前を走る車の一台を、芙佐ちゃんが指さした。

「本当ね、あら……」

　その隣に栗巻夫人のあでやかな顔が見えた。

「今頃どこへ行くのかな。千歳のほうに行く道じゃない？」

　わたしたちは栗巻夫人と加沢先生の車を見送った。

　朝鮮料理はおいしかった。

天津(テンシン)の甘栗を一袋、民子さんにみやげに買って帰る。民子さんは、一緒に行きたかったのにと言いながら、甘栗を食べる。加沢先生と、あの夫人の姿を、もし彼女が見たなら、どんなことになったろう。

(行かなくって、よかったのよ)

わたしは心の中でそう言った。

「加沢は東京に、三日程行くんだって。何だか、飛行機が落ちるみたいで心配だわ」

栗など入らないような口で、一生懸命民子さんは栗を食べていた。

十一月二十六日　木曜　晴

検温に可奈子さんの部屋に行くと、今日はおてつだいさんがきている。時々夫人の代りに来ている三十すぎの、少し淋しい顔立ちの人だ。

「ママは、パパが大阪に仕事で行ってるので、追いかけて行ったのよ。京都で、わたしに着物を買ってきてくれるんですって」

可奈子さんは、晴ればれとした顔で言った。

「いつ、お出かけになったの?」

つい、わたしは聞いてしまった。

「昨日の午後一時の飛行機で、行かれましたの」

おてつだいさんが言った。

昨日の午後一時に発った人が、午後六時にまだ札幌にいた。なるほど、そういうこともあるのだ。

栗巻夫人の正体は、一体いかなる姿なのだろう。

詰所では、杉井田先生が原田先生と、何か熱心に話し合っていた。杉井田先生にも、あるいは栗巻夫人の正体はわかっていないのではないか。加沢先生と、栗巻夫人が昨夜千歳を発ったと告げたら、杉井田先生は何と答えるか。

わたしは告げてみたい誘惑にかられながら、体温表の記入をしていた。

夜「白痴」を読みおえる。底ぬけの善意とは何か。つくづくと考えさせられる。

九章

九章

十一月二十七日　金曜　晴

今日は雲ひとつないきれいな空。雪もなく初冬というより、晩秋という感じ。青い空に何か字を書いてみたい気持。愛という字をたくさん書き散らした空なんて、どうかしら。

今日から準夜。午前中は洗濯。

午後、久しぶりに東京の兄さんに手紙を書く。正月休みにはスキーに来るようにと書きながら、雪のない冬なんて、さぞつまらないだろうと思う。

しんしんと雪の降る夜。あたたかいストーブの傍（そば）での読書の楽しさ。雪煙を立ててスロープを滑降するスキーの楽しさ。音楽に合わせて滑るスケートの楽しさ。この、冬の楽しさを知らないなんて、つまらないと思う。第一、あの雪晴の日のまばゆい新雪の輝きも、月の夜の蒼（あお）くちろちろと燃えるような、氷柱（つらら）の光もない冬なんて、それは断じて冬じゃない。

杉井田先生は、朝里温泉か定山渓温泉にでドライブしようとおっしゃっていたけれど、わたしは二人でスキーに行きたいと思う。

十一月二十九日　日曜　晴

今日の準夜は一人。消灯の前、病室に異常を確めに行く。可奈子さんが、頭がガンガン痛むから、すぐ当直の医師を呼んでくれという。額に手を当てたが熱はない。

「ね、西原さん。ママから電話がきたわ。十日もパパとおつきあいしてから帰るんですって。ずっと帰ってこなくてもいいのに」

可奈子さんの病室には、直通電話があるのだ。うきうきという可奈子さんは、頭痛などうそなのだ。当直医が杉井田先生と知っての仮病にきまっている。

「頭痛は大したことないようですね。おやすみなさい」

というと、

「いやよ、痛いのよ。先生を呼んでよ」

と甘えた。少し待つようにいって広川さんの部屋に廻る。

広川さんの部屋には、昨日新患が入った。黄疸(おうだん)で、顔が黄色い。年齢は広川さんと同じぐらい。

「いかがですか」

と尋ねると、水が飲みたいという。黄疸は体がだるい。水を飲みに行くのも大儀なのだ。

「水なら、ぼくが持ってきて上げますよ」

広川さんが気軽にいって起き上った。

「いいわ。わたしが持ってきますから」

「いや、いいんですよ。どうせ、ぼくも水をのみたかったんですから」

広川さんは、茶色のガウンをひっかけて病室を出た。

廊下に出ると広川さんは、

「千香ちゃん、足をもっと地につけていてくださいよ」

と、いい捨てて、さっさと洗面所のほうに行ってしまった。

わたしの心の動きに、広川さんはなぜこんなにも敏感なのだろう。わたしは今夜、やはり上ずっている。杉井田先生が当直なのだ。落ちついていられる筈がない。

病室を見廻って詰所に帰ったら、杉井田先生が、目で笑って迎えてくれた。可奈子さんの頭痛を伝えると、

「放っておきましょう。それより、昨日の新患の様子を見てきましょう」

という。広川さんの部屋に再び行く。先生は時田さんをていねいに診察する。頼もしい、落ちついた態度だ。広川さんは、黙ってわたしの顔をみつめていた。へんに悲しい目だった。

詰所に帰ったら、先生が、

「ちょっと」

といって、処置室に入って行った。何気なくついて行くと、先生はドアをうしろ手でしめ、ふいにわたしの肩を抱きよせた。わたしは先生の胸に強く抱きしめられ、あっという間もなく唇を重ねられた。長い長い接吻。

「君はぼくのものだ」

先生はいった。

こんなに簡単に、再び先生とキスを交わすつもりはなかった。そう思いながらも、わたしは幾度も先生の長い接吻を受けていた。

ああ、この恍惚（こうこつ）。女とは、唇（くち）づけの前に、理性も意志も、簡単に崩れ去る弱い生きものなのか。

十一月三十日　月曜　くもり

加沢先生と中央廊下ですれちがった。

先生は馴れ馴れしくわたしの肩に手をかけた。先生の手を置いたその部分が、汚れたような嫌悪感。

「やあ、元気?」

栗巻夫人と二人で東京に旅立ったことを、わたしはちゃんと知ってるんですよ、先生。

しかし、生きているって何だろう。男と女って何だろう。こんなにも相惹く力のある男と女……。でも、ただ抱かれたりキスしたりするだけで、二人の時を過してよいのだろうか。抱擁やキスは、誰もがする同じ方法ではないか。わたしはそのことに、何か抵抗を感ずる。

広川さんと柳子さんのように、静かに愛し合う愛。あれが、人間である男と女の、本当に愛し合う姿のような気がする。人間には言葉がある。愛撫(あいぶ)によってしか、愛が伝えられない筈はない。言葉によって、もっと確実に愛を伝え合い、育て合うことができる筈なのだ。

何となく、昨夜の杉井田先生の長い接吻が、今日はむなしく感ずる。どの女性に対しても、先生はあのようにして愛しているのではないのだろうか。

とにかく、どこかまちがっているような気がしてならない。結婚前の男と女とは、やはり体に触れ合わずに愛し合うべきなのだと思う。

十二月一日　火曜　雪

いよいよ今年も今日から師走。

今月の勤務割が発表になった。わたしはいつもの月より日勤が多い。深夜が多いといって、ぶつぶつこぼしている人、準夜がこんなにあるのと不機嫌になる人、毎月のことながら、みんな愚痴を並べている。

わたしは宵っ張りのせいか、準夜勤務は好きだ。午後五時に出勤して、午前一時に帰寮する。朝九時までゆっくりと寝て、五時まで休んでいられる。午後五時以降は重患でもない限り、処置は少ない。深夜は大変だ。仮眠はできるが、朝五時頃から、検温、採血、体重測定、検尿など、その日によって、いろいろな仕事がある。

勤務割を見て文句をいうのもわかるが、みんないい月も、悪い月もあるのだ。ナースの絶対数が不足なのに、婦長に文句をいっても始まらない気がする。柳子さんはその点偉い。組合では、かなり激しいこともいうが、勤務割表を見て、ぶつぶついっているのを見たことは、一度もない。やはり、広川さんにふさわしい人だと思う。

十二月二日　水曜　雪

芙佐ちゃんと柳子さんが、夜、部屋に遊びにきた。

「お千香、いま誰に会いたい？　歴史上の人物でもいいから、会わせてやるって、神さまがいったらさ」

芙佐ちゃんは、時々こんなことをいう人なのだ。

「そうね」

やっぱり杉井田先生といいたかったが、

「石川五右衛門（ごえもん）」

と答える。芙佐ちゃんはお腹を抱えて笑った。

「どうしてさ、お千香」

「だって、歴史に残る偉い人には、たいてい何となく偽善的な匂いがあるけれど、大泥棒で名を残すなんて、何となくお人好しみたいでしょ」

「ふーん。そんな感じ方もあるというわけか。お千香もなかなかいうじゃないか。わたしはね、鯨（くじら）を初めて食べた男の顔を見たいな」

芙佐ちゃんの言葉に、今度はわたしが笑いかけたが、民子さんが、

「わたしはね、加沢の……」

といって、ほろりと涙をこぼした。

「加沢の何よ。加沢のおふくろさんの顔？」

芙佐ちゃんは、民子さんの涙に気づかないふりをして明るくいったが、民子さんは顔を両手でおおって、部屋を出て行った。

「どうなってんのよ。民子ったらヒステリーだよ」

芙佐ちゃんはあまり気にもとめていなかったが、わたしには、民子さんが誰に会いたいか、わかった。きっと民子さんは、ひそかに堕ろした加沢先生の子供のことを、思っていたにちがいない。

十五分ほどして民子さんは、

〈思い出しておくれ
　だれだかのことを〉

知床（しれとこ）旅情のふしでうたいながら、にやにや笑って部屋に戻ってきた。これが民子さんのいいところなのだ。が、民子さんの瞼（まぶた）は赤くはれていた。

民子さんって、心の純な人なのだ。なぜ、あんな男を好きになったのだろう。加沢先生より、

九　章

杉井田先生はやはりはるかに勝れていると、わたしは思った。

十二月四日　金曜　小雪

時田さんは、黄疸がますますひどくなった。医長の指示で、個室に時田さんを移す。広川さんは、また一人になった。

帰りに広川さんのところに寄ってみる。

「何人変ったかしら、広川さん」

「さあ、何人でしょうね。ぼくも長いということですね。しかし、全快して退院して行くのはいいけれど、容態が悪くて、個室に移されるのを見るのは、辛いですね」

本当に広川さんの病気は長い。だが、広川さんは少々悪化しても、決して不機嫌にもならないし、いらいらもしない。ふしぎな人だ。二十七、八の青年とは思えない。わたしは、何となく広川さんをずっと年上の人に思っていたことに気づいた。そのことをいうと、

「ぼくは、杉井田先生と同じ年じゃなかったかな」

と笑った。

「まあ、広川さんのほうが、ずっと立派ね」

思わずいってから、本当に広川さんは杉井田先生よりずっと大人で、誠実で、立派だと思っ

た。わたしは広川さんのほうを尊敬しているというと、

「ありがとう」

　と広川さんはまた笑顔を見せた。妙に淋しい笑顔だ。

　病気がなおったら、広川さんは柳子さんと結婚するのだろう。そう思うと、わたしも淋しくなる。広川さんは誰のものでもあってほしくない。いつでも甘えられる存在、頼れる存在として、身近にいてもらいたいのだ。

　広川さんは、小説の話や、音楽の話をしてくれた。そのあと、シュバイツァーの話もしてくれた。

「彼はどこの人か、わかる？」

「それぐらいはわかるわ。ドイツでしょ」

「そう。シュバイツァーは、ドイツの田舎の牧師の子に生まれましてね。彼は最初、大学の先生で、且つ牧師だったんですよ」

「あら、医者じゃなかったの」

「それは三十歳の時に、生涯をアフリカの人々に捧げようとしてから、勉強した筈ですよ。ぼくも病気がなおったら、何かしたいですね。今までとは全くちがった、新しい生活に入りたいですね」

「柳子さんとご一緒にね」

　広川さんはわたしをじっと見つめたまま、頭を横にふって、

「シュバイツァーはね、吾々の不可欠の認識は何か。それは、吾々すべての人間が、誰も彼も、非人間性の罪を負っているという認識だと、いっているんです。ぼくには、この言葉がだんだん深く、重く、大変重要な言葉だということがわかってきたんです」

　といった。

〈非人間性の罪〉

　わたしは、ふっと、可奈子さんの髪を洗いながら、このまま湯の中に顔を押しつけたら、可奈子さんは窒息死するだろうと思った時の、自分の想像の残虐さを思った。

「戦争も非人間性の罪の所産ですよ。本当に人間性のある者は、いかなる戦争をも拒否する筈だ。そうシュバイツァーはいいたかったんじゃないかな」

　広川さんはまた、

「本当に平和を叫ぶということは、ああいう生活をすることなんですね。誰のためにも涙も汗も流さない人間が、いくら平和を叫んでも、ぼくは信用しない」

　そんなことも熱っぽくいった。杉井田先生は、こんな話を一度もしてくれたことがない。

　わたしはふっと淋しくなった。

十二月五日　土曜　くもり

可奈子さんの病室に、昼食後の薬を持って行くと、久しぶりに夫人の姿があった。夫人は、いぶし銀のような地色に、黒い木の葉模様の上品な着物を着て、上機嫌にわたしにいった。

「長いことるすにして、ごめんなさい。あなたにもおみやげを買ってきましたわ」

夫人は、応接間にわたしの手をとってつれ出し、病室のドアを閉めるや否や、わたしの耳もとにささやいた。

「あなたはいい子ね。すすき野で、わたくしと加沢先生の車を見たこと、黙っていてくれたのね。可奈子にも、杉井田先生にも」

「……あの」

わたしは驚ろいた。あの時、夫人はちゃんと、わたしたちに見られたことを知っていたのだ。

「知っていましたわ。あ、これはまずいと思ったのよ。でも、可奈子に電話してみても、可奈子は何も言わないし、わたくし感謝していましたのよ。詳しいことは、あとで話しますわね。とにかく、これ、おみやげよ」

「いいえ、おみやげなど、いいんです」

「いいわよ。取っておきなさい。……可奈子の病状は変りなかったのね。安心しましたわ」

夫人は急に大きな声で、可奈子さんにも聞えるようにいいながら、小さな箱をわたしの手に持たせてしまった。

小さな箱なので、あまり遠慮するのもどうかと、もらって帰る。あとで開けてみたら、真珠のブローチだった。しかも大粒の。このままもらっておいてよいのだろうか。

わたしは明日返したいと思い、民子さんにいったら、

「かまうことないよ。栗巻財閥のおみやげにしては、安すぎる位よ。もらっておきなさいよ」

と、自分のセーターにつけて、鏡をのぞきこんでいた。

十二月六日　日曜　晴

朝刊に、二面に渡ってずらりと死亡広告が並んでいる。よく見ると、それは、ただ一人の人の死亡広告である。あちこちの社長、専務、相談役など、いくつもの肩書きのある人なのだ。

わたしの勤める病棟の、あの中風の老人たちは、家族さえ、めったに顔を出さない。死んでも、何十人かの人が葬式に集まるだけだろう。七十年も八十年も生きて、五、六十人の人しか葬式に集まってくれない。そんな淋しい一生もあるのだ。せめて、わたしだけでも優しくしてあげなくてはと、飛び起きる。民子さんは、ものういまなざしで、布団の中からわたしを見あげた。

「起きないの？」

というと、民子さんは淋しく笑っていった。

「ね、千香ちゃん。あんた、もし、産科につとめていてさ。わたしみたいに、生まれてくる赤ちゃんの第一呼吸をとめさせられたら、どうする？　そんなに張り切った顔で、つとめに行ける？」

若い娘が、自分の手で、赤ん坊の生命を奪わねばならないほど、恐ろしい仕事がほかにあるだろうか。

「いくら患者に親切にしてみてもさ。結局はむなしい話だよ、千香ちゃん。一度殺したこの手で、他の患者に注射して上げるなんて、ナンセンスじゃないか」

ふいに民子さんはヒステリックに笑った。

わたしはふと、民子さんが加沢先生などと遊ぶようになったのは、小さな命を殺した罪の意識を、まぎらすためではなかったかと思った。わたしが、もしそんなことをさせられたら……と思っただけで体がふるえる。

わたしの張り切った心もしぼんだ。

十二月八日　火曜　雪

帰る用意をしていると、杉井田先生が詰所に入ってきた。この頃、わたしと杉井田先生が、以前のように話をするので、他のナースたちも先生と口を利くようになった。

先生は、婦長とひそひそ何か話している。

「正月前に退院ですか」

ちょっと婦長の声が大きくなった。先生はちらとわたしのほうを見、婦長にぼそぼそいっている。

五時になったら、準夜のナースが来たので、日勤のわたしたちは詰所を出た。引継ぎは婦長がする。

「お先に失礼します」

わたしたちの声に、先生はあわてたように時計を見、

「あ、西原くん、ちょっと頼みたいことがある」

といった。ナースたちは顔を見合わせて、一足先に出て行った。

「加沢先生に、栗巻さんのカルテを持って行ってください」

（また、加沢先生に？）

そう思ったが、うなずくと先生は、わたしと一緒に廊下に出た。

「千香子さん。明日は日勤ですね。夕食をつきあってくださいませんか」

先生は激しい目の色を見せた。男の目だ。胸がドキリとするような切ない目だ。北海会館のロビーで待ち合わせる約束をした。

加沢先生は外科医長室にいた。わたしの顔を見ても、先生はそっけなかった。

可奈子さんのカルテを、加沢先生はきびしいまなざしで見、体温表を見ていたが、やがて、

「わかりました。ありがとう」

といって、カルテの上におき、

「ところで、ちょっと聞きたいんだがね」

と椅子を立って、ソファにすわり、

「君もここにおかけなさい」

と、横を指した。わたしは立ったまま先生の顔を見た。

「君、民子と同室だってね。あの子から、ぼくのことといろいろ聞いているだろう」

先生はカルテを見ていた時とは全くちがった顔で、ニヤニヤした。

「あの子には参っているんだよ、ぼくも。あの子はレントゲンの種岡君とも関係のあった子

でね。まあ、手を出したぼくも悪いんだが、まつわりつかれて参っているよ」

　加沢先生はタバコをくゆらしながら、そういった。

「でも、民子さんは本気です」

「本気だから困るんだよ、君。ぼくには妻子があるんだからね。それを承知の上なんだから、本気じゃ困るんだなあ」

「じゃ、先生は民子さんを愛してはいないんですか」

「そりゃあ、かわいい時もあったさ。しかし、男女のことというのは、いわば遊びだからね、君。遊びだからこそ楽しいんで、本気じゃ重っ苦しいものなんだ。そこへゆくと、四十過ぎた女性は、スマートに遊ぶんだがねえ」

　四十過ぎた女性とは、栗巻夫人のことではないか。

「じゃ、先生は民子さんをもてあそんでいるんですか」

「若い子ちゃんは、すぐにそう正面切ってものをいうから困るんだね。そりゃ、君、遊ぶことが、もてあそぶというのなら、そうなるだろうね」

　恬然（てんぜん）として、先生は恥じない。

「君、杉井田君と結婚するそうだね」

　ふいに話がわたしのことになった。

「可奈子なんて娘は、わがまま娘だ。杉井田君も、君と結婚したほうが幸せそうだな」

うつむいたままわたしは、先生の前で立っていた。

杉井田先生は、加沢先生に相談を持ちかけたらしい。

「可奈子嬢の病気は、敗血症のほかに、痔が悪くてね。それで、わたしも時々あの部屋に行くんだが……。ま、君と杉井田はうまくやり給え。それより民子に、妻子のある加沢なんて、忘れろといってほしいんだがね」

先生は立ち上り、わたしの肩を軽く叩いた。わたしは黙って、可奈子さんのカルテを持って詰所に帰った。何となく不得要領な思いだった。

とにかく、民子さんは、あんな男を早く忘れること。

十二月九日　水曜　晴

北海会館のロビーで、杉井田先生と待ち合わせた。先生は、おいしい鯉料理を食べさせる静かなところに連れて行って上げるといった。

豊平川の見える部屋だった。鍵のかかる部屋だった。

もしかしたら、わたしはやはり、こうなることを期待していたのだろうか。わたしは、こんな恋愛をねがってはいなかったのに。

「こうしなければ、君が逃げて行きそうで、不安なのだ」

先生は、そういっていた。

もう、再び、先生の感情に溺れてはならないと思う。こんなことでしか、愛の証しはできないとは思われない。

十二月十日　木曜

ゆうべ、よく眠れず。

十二月十三日　日曜　くもり

広川さんの夢を見た、検温に行ったら、広川さんのベッドは空(から)だった。同室の人にきいたが、広川さんなんて知らないという。聞いたこともない名前だという。わたしは廊下からトイレまで探した。どこにもいない。わたしは階段につかまって泣いた。泣きながら、わたしは広川さんを探していたのだ。

目がさめて、広川さんに対する自分の感情の激しさに驚ろく。わたしは広川さんを尊敬している。しかし異性としては愛しているつもりはない。だが、夢の中の自分は、まるで恋人を思う気持だった。いや、杉井田先生に現実に抱く想いよりも、熱く激しかったような気がする。夢は本心だろうか。

今日は休み。無性に広川さんに会いたい。午前中はじっとがまんしていたが、午後になって広川さんの部屋に行く。

広川さんのお母さんと、親戚の人らしい、きれいな若い女のひとが見舞にきていた。広川さんの静かな顔をちらりと見て、街に出た。

ああ、人間この複雑なるものよ！

十二月十四日　月曜　くもり

杉井田先生と廊下で会う。先生はわたしを見て、近よってきた。

「君、今日から深夜ですね。ぼくはあさって当直」

先生はニコッとした。

（もう、あんなことはいやです）

わたしはそういいたい思いをこらえて、うなずいて去った。

十二月十五日　火曜　大雪

雪が降っている。しんしんと降りつもっている。降って降って、野も山も街も平らになるまで降りつづき、人間が雪の下に圧死するほどには、積もらないものか。

民子さんは、昨夜から帰らず。あの加沢先生と、また定山渓にでも出かけたのか。

「もてあそんでいる」

といった、加沢先生に抱かれている民子さんを思うと、杉井田先生に抱かれているわたし自身の姿が目に浮かぶ。男にとって、女を抱くことは、もしかしたらそれは「もてあそぶ」ことではないのか。

ところで、生きているというのは、こんなことでいいのだろうか。こんな毎日の積み重ねの一生であっても、わたしは死ぬ時悔いないだろうか。何か別な道があるような気が、しきりにする。

何かユーウツ。

大雪で電車は不通。

十二月十六日　水曜　晴

昨夜おそく民子さんは帰ってきた。酒に酔ってふらふらしている。

「別れりゃいいんでしょ、別れりゃ」

民子さんは、幾度もそうどなっていた。芙佐ちゃんがきて、

「うるさいよ、民子」

と叱ると、民子さんは、

「芙佐子になんか、何がわかる！」

といって、泣き出した。

「うちの奴に知られたから、もう会えない」

加沢先生にいわれたとか。

民子さんは昨夜一人で市内のホテルに泊り、一晩中加沢先生の家に電話したが、誰も出なかったと泣いていた。

「よかった、よかった。あんな男と、手を切るのは、早いほうがいいよ」

芙佐ちゃんは、民子さんの涙になんか、動じない。

「お千香も、どうやら杉井田とよりを戻したらしいけれど、人間思い切りが肝腎だよ」

芙佐ちゃんは、わたしにも釘をさすようにいった。わたしは黙っていた。今夜は深夜勤務。当直は彼なのだ。

十二月十七日　木曜　晴

昨夜、杉井田先生は詰所に姿現さず。ほっとする思いと、がっかりする思いの交錯。

先生は、朝、詰所にきて、ゆうべは頭痛で早くから眠ってしまって、すまなかった、とあやまった。

「深夜勤務は、デートの時間じゃありません」

とわたしはいったが、淋しかった。

十二月十八日　金曜　風寒し

忘れていたわけではない。だが、思い出したくなかったのだ。夕食を終って、部屋でテレビを見ていたら、電話だという。家からの電話かと思って電話室に行った。

「もしもし、西原さんですか。わかります?」

聞いたことのある女の声。が、わからない。

「本間です。ごぶさたしております」

やめて行った栄養士の、本間さんの声だ。どきりとする。いやな予感がした。

「杉井田から、わたしのこと、お聞きになりまして?」

落ちついた声だった。

(杉井田!?)

彼女は呼び捨てにしたのだ。

「どんなことでしょう?」

わたしも平静をよそおって答えた。

「あら、何もご存じないんですか」

九　章

彼女はちょっと考えているようだったが、

「じゃ、年内にお伺いしますわ。お目にかかって、是非お話したいことがありますの。やっぱり杉井田には任せておけませんから」

という。

わたしは、体の中にゴミでも詰め込まれたような、不快な感じだった。いや、不安というべきか。

本間さんは、どうして「杉井田」と呼び捨てにしたのか。何を彼に任せておけないというのか。

いやに落ちついた声だった。本間さんは、今、小樽にいるといっていた。

わたしは、部屋に帰ってべったりとすわったまま、何かめまいがしそうな思いだった。

民子さんは、今日は準夜だ。誰もそばにいないことが救いだった。

一体、何が、あの本間さんと先生の間にあるのだろう。わたしはなぜか、いつか風呂で見た、あの首から上だけが白い本間さんの浅黒い裸体が、思い出されてならなかった。

明日という日の恐ろしさ。

一体明日に何が待っているのだろう。

十章

十　章

十二月二十日　日曜　雪

何となく落ちつかない。昨日もそうだ。あの本間さんの電話が気がかりなのだ。

「やっぱり杉井田には、まかせておけませんから」

と彼女はいった。何をまかせておけないというのか。なぜ、先生を呼び捨てにするのか。女が男を呼び捨てにする関係……それがどんなものか、わかる気がする。

落ちつかぬまま、勤務を終えて広川さんの部屋に行く。

「この分ですと、クリスマスまでには、大分雪が積りそうですね」

広川さんは、窓の外におだやかな視線を向けた。

「そうですね。クリスマスには雪がたくさんないと、感じが出ないわね」

そうはいったが、クリスマスに雪があろうがあるまいが、今のわたしにはどうでもよいことなのだ。

「千香ちゃんは、教会に行ったことがありますか」

「あるわ。子供の時ね。クリスマスに近所の子と行って、クレヨンやスケッチブックのプレゼントをいただいたことがあるわ」

「子供の時だけ？」

「そうよ。大人になったら、神なんていると思えなくなったもの」

「でも、神について考えたことはない？」

「あまり考えないわ。人間のことばかりよ、考えるのは」

「千香ちゃん。神を信ずるか否かはともかくとしてですね。神について考える精神的な高さ、深さは、人間には必要だとぼくは思いますよ」

　広川さんは、ちょっときびしい口調でいった。

　広川さんは神を信じているのだろうか。いつか広川さんは、人間を信じていないようなことをいっていた。

　わたしは神を信じなくても、人間を信じたい。杉井田先生を信じたい。それなのに、何かまた、ぐらついてきている。ああ、

「……杉井田にはまかせられませんから……」

　の、あの電話。

十二月二十四日　木曜　雪

雪が静かに降りつもっている。可奈子さんの部屋には、大きなクリスマスツリーが飾られて、赤青黄紫など、七色の豆電球が点滅している。そして、部屋の中には、ネックレスや壺や花など、数々のプレゼントをずらりと積み上げ、どこだかのレストランから届けられた七面鳥のむし焼きと、クリスマスケーキが、テーブルの上にあった。同じ病棟には、一個のみかんを買う金もない患者もいるというのに。

栗巻夫人は、わたしにビーズの刺しゅうをした黒いモヘアのカーディガンを、クリスマスプレゼントにとくださった。辞退しても仕方がないので、もらっておく。

「人に物を上げる時より、受ける時のほうが愛を必要とする。心から人の贈物を喜ぶ謙遜な愛は少ない」

と、誰かがいっていたことを思い出す。わたしは栗巻夫人から、ありがたいと感謝してプレゼントをもらったことはない。何か油断のならない思いがつきまとうのだ。

「おかげさまで、年内に退院することになりましたよ。西原さんには、本当におせわになりましたわ」

夕方部屋に行ったわたしに、夫人は廊下まで送りに出て来て、そういった。

「まあ？　年内に？」

初耳だった。

可奈子さんの病状は落ちついているとはいえ、まだ、婦長からも、主治医の杉井田先生からも、何も聞いてはいないのだ。

「驚ろいて？　あれはわがまま娘ですからね。もう病院には飽きたのでしょう」

栗巻夫人は含み笑いをした。

十二月二十六日　土曜　晴

何のために、わたしはこんな日記を書いているのだろう。いくら書いても、ちっとも自分自身に進歩がない。自分に対する厳しさも、自己凝視もないところに、何の進歩もないのは当然なのだ。

ではなぜ、わたしには自己凝視をする厳しく鋭いまなざしがないのか。それはただ、次から次と起きてくる出来事に、右往左往しているからなのだ。足をとられ、渦に巻きこまれている弱虫だからなのだ。

ああ、こんな生活から、早く脱け出したい。渦中から出て、わたしはもっと自分を見つめてみたい。何の実りもない、こんなつまらぬ毎日が、自分の青春だなんて、何とわびしいことだろう。それなのに、やっぱり今日もわたしは渦中にいて、そして呆然としているだけなのだ。

昨夜、民子さんが帰ってきて、こういったのだ。

「誰とデートしたと思う?」

民子さんは、わたしの顔をのぞきこんだ。いつもつるりとしている唇が、珍らしく乾いて少し荒れていた。

「知らないわ」

杉井田先生だろうか？

「杉井田さんよ」

民子さんは、さんづけで先生を呼んだ。

加沢先生に呼ばれて、Sというバアに行くと、杉井田先生、栗巻夫人が同席していたという。それからキャバレーに行き、加沢先生と組んだり杉井田先生と組んだりして、ダンスをしたとか。

「加沢ったらずるいの。やっぱり若いお前とは、切れることはできないよ。前言取り消しだ。抱き心地がちがう。なんていいながら、栗巻夫人と踊る回数のほうが、多かったわ」

民子さんはまた、

「彼ね、こうして複数で遊ぶと、うちの奴に見つかっても、申しひらきができるからね。表面は、独身の杉井田君と仲よくやっていてくれなんて、うまいことというの」

そんなこともいい、わたしの顔をみつめながら、

「杉井田先生って、ダンスがうまいわ。うますぎるわ。どこで習ったのかしら」

と、笑った。

十二月三十一日　木曜　くもり

年内に訪ねてくるといった本間さんは、遂に姿をあらわさず、電話も来ない。

今日と明日の元旦は休み。今日家に帰って少し店を手伝う。明日は寝正月の予定。

わたしの純潔を失った年が過ぎ去ろうとしている。葬送曲のレコードでもかけたいような気持。紅白歌合戦など、見る気更にせず。

来年はどんな年になるのだろう。父が、

「来年はいよいよ、千香子も嫁に行くことになるかな」

といった。

本間さんと杉井田先生のことが気になって、何となく落ちつかぬまま一日暮れた。いや、一年は暮れた。

十　章

一月十日　日曜　晴

何故無気力なのだろう。日記もつけずに十日も過ぎた。

夜、柳子さん、芙佐ちゃん、民子さん、そしてわたしの四人で新年宴会?の予定だったが、民子さんは約束の六時になっても帰寮せず。やむなく三人で。芳ずしからのにぎりと、みかん、ケーキ。

「民子はまた夜遊びをはじめたね。困った子だ」

芙佐ちゃんがしみじみという。

「わたし、女って本来官能的なものだとは思わないの。だから、男の夜遊びと、女の夜遊びとは、質がちがうような気がするの」

と柳子さんはいった。

「わたしはさ、どうしてか男性には夢中にはなれないんだ。男が女を愛するなんて、そんなこと、ちょっと考えられないんだよ」

これは芙佐ちゃん。

「男というものは、何せオスだからね。愛情じゃないよ。欲情だよ」

十　章

芙佐ちゃんは、変に割切った男性観を持っている。

杉井田先生は、わたしに全く愛情を持っていないとは思えない。七日の日、わたしは先生と会った。先生は激しくくちづけをしたが、それ以上を求めてはこなかった。あれは決して情欲ではなく、愛情だと思う。

そんなことを考えていると芙佐ちゃんが、

「お千香、何をぼんやりしているの」

という。

「柳子さんの彼は、本当に愛情のある人だと思ってたのよ」

「あら……」

柳子さんはちょっと赤くなったが、黙っていた。

この日記も何か張りがない。何かがわたしの体の中から脱けて行っている感じだ。生きている初々（ういうい）しさの喪失！　そんな感じだ。

芙佐ちゃんたちが帰った後、窓を開けると満天に凍てついた星が青くきらめいている。あの星を並べなおして、天使のような清らかな乙女の姿をつくりたいなどと、子供のようなことを考える。

そうだ。わたしは「清らかさ」に憧れているのだ。「清らかな心」「清らかな言葉」「清らかな瞳」そんなものが、にわかに尊いものに思われて来る。

十　章

一月十一日　月曜　小雪

昨夜民子さんは、一時過ぎに帰ってきた。お酒の匂いをぷんぷんさせて。

　そんなことを幾度もつぶやいたり、

「男は男、女は女」

「加沢は加沢、杉井田は杉井田」

　といったりして、眠ってしまった。約束をすっぽかしたことなど、ちっとも気にしてはいない。

　しかし、まもなく目をさまし、しくしくといつまでも泣いていた。わたしは知らぬふりをしていた。

一月十四日　木曜　くもり

栗巻夫人から電話。話があるので、夜、家に来てほしいという。話があれば、栗巻夫人が出向いてくるがいいのだ。人を呼びつけるなんて、失礼だと思う。

「今夜は約束がございますので」

といったら、

「どなたですの。杉井田先生じゃございませんわね。あの方は、今夜うちにおいでになる筈ですもの」

と、からかうような口調。

日勤が終って、わたしは一人で街へ出た。誰と会う約束もない。わたしはわたしと会いに街に出たのだ。でも、一人でお茶を飲むのも侘(わび)しいので、ただ街を歩き廻(まわ)る。

ふっと駅に行って見たくなった。

駅の伝言板を眺めていたら、

「三時まで待った、大崎」

「静岡で待っている、いつまでも。大二郎」

「もう、これ以上待てません。発車二分前。清美」

など書いてある。どの伝言にも「待つ」という言葉が書かれているのが、わたしの心を惹いた。

人生には、「待つ」ということが意外に多い。人を待つ。結婚の日を待つ。病院には全快の日を待ち、退院の日を待つ患者で溢れている。待つということは、忍耐することなのだ。だが、待つということは、何と人をいらいらさせることでもあるだろう。

わたしは、あの本間さんを待っている。

この伝言板の中に、一つだけ変ったのがあった。

「中野。君はバカだ。大バカ者だ」

何となくスカッとする言葉だ。この「中野」の代りに「西原」でも「杉井田」でも、そして「民子」「可奈子」「栗巻夫人」でも、みなすっぽり当てはまりそうだ。何と大馬鹿者の多いことよ。

駅の地下に降りる階段に、赤ちゃんのヨダレかけが靴に踏まれて、泥まみれになっていた。何だか人に踏まれる数だけ、落したその赤ちゃんが不幸になるように思われ、拾って屑かごに捨てた。だが、捨てたら、一層赤ちゃんが薄幸のように思われ、気が沈んだ。

今夜、杉井田先生は可奈子さんの家に行っていると思うと、何か無性に侘しい。

一月十五日　金曜　晴

成人の日。わたしは休日。

ひる、病院の食堂でカレーライスを食べていたら、入院患者の見舞に来たらしい若い女性が二人、傍(そば)のテーブルで話している。

「ねえ、いやな男に結婚を申しこまれたら、どうしたらいいの」

「鼻くそをほじって、それをまるめて、ポイと相手のひざのあたりに投げるのよ」

「いやーだ。そんなことをしたら、嫌われるわよ」

思わずわたしは笑った。女心だと思う。気乗りのしない見合でも、ちゃんと美容室に行って、髪を整え、化粧をするのが女なのだ。

わたしが、いやな男にプロポーズされたら何といおう。

「今、妊娠三ヵ月ですけれど、それでもよろしかったら」

といってみたい気がする。

そんなばかばかしいことを考えながら、カレーライスを食べて、広川さんの部屋に行く。

同室の橋井さんのところにも、奥さんが見舞に来ていた。広川さんの顔色が大分いい。

この頃は体重も増えてきている。広川さんはベッドの上にすわって、手紙を書いていた。

「お邪魔ね」

「いや、今書き終ったところですから」

広川さんはそういいながら、自分の名を書き終えてペンを置いた。お見舞のチーズとスキムミルクを差し出すと、

「いつも、いただいてばかりですね」

といい、ちょっと何かを考えていたが、

「ぼく、思いきって、退院してみたいと思っているんです」

といった。

「まあ、どうして?」

わたしは思わず情けない声になった。

「病院の中ばかりにいると、骨のずいまで病人になってしまいますからね。ここまで落ちついたら、体をだましだまし、自宅療養に切りかえたいと思うんです」

「でも、おうちへ帰ったら無理なさるわよ。血圧が上ると危険だと思うの」

「大丈夫ですよ。療養のカンドコロは飲みこみましたからね。それに……」

いいかけて口をつぐんだ。

十　章

「それに？　なあに？」

「いや、何でもないんです」

「柳子さんはもちろんご存じなのね」

「あの人には……まだです」

「どうして？」

「あの人とぼくとは、千香ちゃんの思ってるような間柄じゃないですよ。あの人はぼくには立派すぎる」

「まあ、じゃ柳子さんがかわいそうよ」

　広川さんは黙って、便箋の上に退院という字を幾つも書いた。

「広川さんが退院したら、わたし淋しいわ。どうしようかしら」

　ひそひそと、隣ベッドで何か語り合っているので、わたしも声を低めた。

「千香ちゃん。君はそんなことをいうべきじゃない。君にはあの先生もいることだし」

「あの先生と広川さんはちがうわ。この部屋に広川さんがいると思うだけで、心強いのに
……」

　わたしは涙ぐんだ。

「君はまだ子供なんですね。いつかもいったけど、何もわかっていない。人の苦しみも悲し

みも……」

いつもは広川さんと話していると安らぐのに、今日は侘(わび)しかった。

クランケの退院を喜ばぬナースが、この世にあろうか。

十　章

一月十八日　月曜　吹雪

「あのね、ぼく、こっちの手笑ってるの。だから、物を持てないの」

ひるやすみ、八歳ぐらいの小児科の子が売店の小母さんに話をしていた。手が笑うとは、どんな感覚なのだろう。その詩的な表現が痛ましい感じだった。

午後、杉井田先生の回診につく。一号室で回診が終った。先生は人けのない娯楽室の前で立ちどまった。

「君、十四日に誰かとデートしたの」

「いいえ」

「だって、栗巻夫人の電話を断わったでしょう。ぼくも君と話し合いたいことがあったんだ」

「可奈子さんのそばで?」

先生はうなずいた。

「じゃ、どうして先生が、わたしにお電話くださらなかったんですか」

「それは、夫人がかけるといったから……」

先生は言葉をにごした。あの憂鬱そうな、しかし美しかった目が、今日はどこか濁っている。

「どうしても可奈子さんたちの前でなければならない、お話だったんですか」

先生は時計を見、

「ああ、失敬。ちょっと医局に」

と、逃げるように去って行った。

いやな予感。カルテを持ったまま、わたしは重い気持で詰所に帰る。帰るとすぐ、

「あ、お電話よ」

と婦長にいわれた。主任が意味あり気にわたしを見た。電話は本間さんからだった。

「お待ちしていたんですけれど」

というわたしの言葉に、

「あら、杉井田から何もお聞きになっていません?」

また、杉井田だ。

「何も伺ってませんけれど」

「変ですね。病院で、杉井田にはいつもお会いになるんでしょう?」

「ええ」

「杉井田はやっぱりずるいのね。わたしね、母が交通事故で入院しましたのよ。だから、あ

十　章

なたをお訪ねできないので、そうお伝えしてと申しましたのに。とにかく、わたくし、今月中には伺いますわ。あなたにお見せしたいのよ」

「はあ?」

何を見せたいというのだろう。

「わたし、その時のあなたのお顔を見たいのよ」

敵意のこもった声音だった。

「杉井田は、あなたと結婚するつもりらしいわ。でも、そうはさせないわ」

本間さんは、今日は前よりも、何かいらいらといきり立っている感じで、わたしは電話が切れてからも、ポカンとしていた。先生は、わたしと結婚すると、はっきり本間さんにいったのだろうか。

わたしは何か、奇妙な渦の中にひきこまれそうな感じがしてならない。

〈広川氏退院、一月二十日午後〉

と、黄色いチョークで書かれた黒板の字を、わたしはぼんやりと眺めていた。

一月十九日　火曜　くもり

明日、広川さんが退院するのだと思うと、淋しくてならない。柳子さんも浮かない顔をしていた。

「洗髪してください」

と広川さんに頼まれた。が、わたしは柳子さんに頼んだ。柳子さんに洗わせて上げたかった。

あなたには杉井田先生がいると、広川さんはいった。しかし、わたしと先生の結びつきの何と不安定なことよ。先生は勉強が忙しいので、滅多にデートもしない。たまに会うと、ただ何となく黙って顔を見ているだけ。何か、もう一つ心と心が固く結ばれていない感じなのだ。

ナースたちや、他の病室の患者たちが、かわるがわる広川さんの部屋に顔を出している。わたしは泣き出しそうなので、顔を出さず。

一月二十日　水曜　晴

晴れて暖かで、本当によかった。準夜のわたしは、朝から荷物をまとめる手伝いに、広川さんの病室に行く。

「どうしても退院するのね」

わたしは荷物をまとめてあげながら、何度もいった。広川さんは静かに微笑しているだけだ。

広川さんが昼食をとっている時、これが彼の、病院での最後の食事だと思うと涙があふれた。もう、この部屋に来ても、優しく迎えてくれる広川さんはいない。甘えさせてくれる広川さんはいない。

泣いているわたしを見て、隣ベッドの橋井さんは、

「西原さん、これからは外でデートするといいよ。なあ広川さん」

と見当ちがいなことをいった。

「ちがうのよ、広川さんは、わたしのお兄さんみたいな存在なのよ」

いいながら、わたしは心の中に、本当に広川さんは、単なる兄のような存在だったかと、

問い返してくる声を聞いたような気がした。

午後二時、とうとう広川さんは、去年の暮結婚したという切れ長な目の妹さんと、そのご主人に迎えられて退院して行った。

可奈子さんの時のように、玄関まで送りに出た医師はいないが、ナースや患者たちは多かった。そして、そのほとんどの人が涙ぐんだり、顔をおおったりしていた。広川さんは、みんなの心の支えだったのかも知れない。柳子さんもわたしも泣いた。

「こんなに惜しまれて退院する人なんて、珍らしいわね」

冷たいはずの主任まで、しんみりとつぶやいていた。

わたしは、広川さんがそっと手渡して行った封書を、開いてみた。

「千香ちゃん。

お世話になりました。

君がぼくを必要とする時、いつでもぼくを呼んでください。

キルケゴールの、

〈信仰はまさに思惟の終る所からはじまる〉

という言葉を、君はいつの日、本当に知ることができるでしょう。

今の君にぼくが贈るのは、

十　章

〈われわれ人間はすべて、弱さと過ちからつくられている。われわれの愚かさを許し合おう。
これが自然の第一の掟である〉

という言葉です。この言葉を、真剣に考えてください。」

車に乗る時、広川さんはわたしの顔を見ていたと思いながら、くり返し読む。

一月二十三日　土曜

まさか！　杉井田先生が！

「……この度、娘可奈子と婚約相整い……」

杉井田先生が二月二十一日に結婚するという案内状。

嘘だ！

いつか先生は、可奈子さんにプロポーズしたのは事実だと、わたしにいった。だがそれは、栗巻夫人の依頼で、破談を前提にしたプロポーズだといったのだ。

「あなただけは、ぼくを信じてください。ぼくを信じてもう少し待ってください」

先生は、涙を浮かべんばかりに、真剣にわたしにいったのだ。

しかし、結婚の案内状まで出してしまって、破談にできるだろうか。やはり先生は結婚するつもりではないのだろうか。

頭の一部に、空洞が出来たような感じ。わたしはやはり、先生にだまされたのだろうか。

この間、栗巻夫人が話があるから来てほしいといわれたことが、急に大きな意味を持って迫って来た。先生も、可奈子さんの前で、相談したいことがあったといった。それは一体何だったのか。この結婚の案内状と無縁ではなかった筈だ。だが、なぜそれっきりわたしに何もいってくれなかったのか。

ここまで来ては破談にはできまい。すぐ先生のところに電話した。が、るすなのか誰も出てはこない。

「お千香知ってたの」

夜、芙佐ちゃんが肩を怒らせて、部屋に入って来た。

わたしは鯉料理屋で、先生に抱かれた夜を思った。先生から直接話を聞かなければ、何もわからない。結婚の案内状の裏に、まだ何かがかくされているのか、わたしにはわからない。

十章

一月二十四日　日曜

ふいに笑いたくなる。この間見た駅の伝言板の言葉に、わたしの名をあてはめるとピッタリ、

「お千香、君はバカだ、大バカ者だ」

本当にバカだ。バカだと思う。

昨夜深夜勤務だった民子さんは、ひるすぎに目をさました。結婚披露の案内状を見て、ポイと畳の上にほうり投げていった。

「今だからいうけどさ。あの男と一度だけ寝たことがあるの。加沢とくらべたらポタージュとコンソメのちがいよ」

だが彼は、民子さんに幾度も迫ったらしい。

「あの男って口がうまいのよ。君は華やかな街の中にあっても、病院で白衣を着ていても、ふしぎに誰よりもその場にふさわしい女性だなんてさ。何いってんの。真っ赤に口紅塗ったくっているわたしのナース姿が、何がふさわしいのさ。ははん、これは誰にでも口説いてきた、手垢（てあか）のついたセリフだなって、おかしくってたまらなかった」

頭をガンと一撃された気がした。民子さんと寝たという事実より、わたしにはもっと衝撃的な言葉だった。

さすがは民子さんだ。わたしよりずっと大人だ。

そういえば、彼はわたしにも、似たようなことをいっているのだ。日記帳をひらくと、四月二十六日の中山峠にドライブした日に、

「あなたってね、ナースの白衣を着ていると誰よりも清らかで、やさしくみえるんですよ」

とか、

「誰をあの峠におくよりも、ずっとふさわしい女性に思われるんです。実に西原さんって、ふしぎなひとですよ」

などといわれた言葉を、わたしは後生大事に書きとめてある。

ところが何のことはない。このセリフは彼の既製品だったのだ。常用の小道具に過ぎなかったのだ。

わたしは今こそ深く傷つけられた。自分がいかに完全にもてあそばれていたかを知ったのだ。うす汚い手垢のついた言葉に、ころりとだまされて、体までゆるした自分に激しい自己嫌悪。

一月二十五日　月曜　吹雪

激しい風が雪を舞い上げては過ぎて行く。

「仕方なかったんです。ぼくは、夫人のわなに巧妙に落ちてしまったんです」

誰もいない詰所で、彼は弁解しようとしたが、わたしは一言も口をきかず。

もし可能なら、彼のひたいにナイフを突きさし、口の中にわたしの靴を押しこんでやりたい。女の心と体をもてあそんだ男よ、お前はこの待遇に感謝してもいい筈なのだ。

十　章

一月二十八日　木曜

杉井田と寝たという民子さんも、妙にうすぎたなく見える。

「諦めなよ。あんな男と結婚しなかったことを感謝するのよ」

民子さんは、慰め顔にしきりにいう。

「もう疾うに忘れたわ。それより、あなたこそ加沢先生なんか忘れなさいよ」

「いや、加沢は別よ」

「そうかしら。加沢先生も栗巻夫人と東京に一緒に行ったりして、何か妙なことになっているんじゃない？」

いった途端、民子さんのまなじりがキリリとあがった。

「本当!?　それはいつ？」

民子さんが詰めよった。

十　章

終章

終　章

二月二日　火曜　くもり

アンニュイな毎日。休みの一日を、ただ部屋にねころんでいる。雪祭りにも行かず。何をする気力もない。誰かがいった「悲しみは怠惰の一種」という言葉が、今こそわかったような気がする。

準夜の民子さんも、午後までふとんの中から出ようとはしない。

「ね、千香ちゃん。加沢にさ、どうして栗巻夫人と東京に行ったのと聞いたらね……」

わたしは上わの空でふんふんと聞いていた。民子さんは加沢先生と栗巻夫人のことで、頭が一杯なのだ。可奈子さんが杉井田と結婚することや、民子さん自身、彼と寝たことなど、いささかも意に介してはいない。これが同室に住む者の友情なのか。

広川さんに会いたい。広川さんの、あの澄んだ優しい目をのぞきたい。

二月四日　木曜　晴

　夜、柳子さんが遊びに来た。昨日広川さんの家に行ってきたという。広川さんは、午後だけ安静にして、あとは起きて本を読んでいる由。

「心配していたわ、あなたのこと」

　杉井田先生の結婚のうわさをきいたのかも知れない。

「わたしのこと、ばかだなあって、笑っていなかった？」

「千香ちゃん。広川さんは、人を笑ったりする人じゃないわ。特に千香ちゃんのことは、決して笑わないわ」

　柳子さんは、少しきっとした顔をわたしに向けた。

「千香ちゃんは広川さんのことを、もっともっと大事に考えてもいいのよ」

　帰りぎわに、柳子さんはこうもいった。

　広川さんが退院する時に書いてくれた言葉を思い出す。

〈人間はすべて、弱さと過ちからつくられている。われわれの愚かさを許し合おう。これが自然の第一の掟である〉

この言葉を真剣に考えよと、広川さんは書いてくれたのだ。

わたしの弱さ愚かさはわかる。杉井田先生も民子さんも愚かしいのはわかる。だが、それをわたしは許しはしない。自分の弱さも許してほしくはない。放っておいてほしいのだ。

二月五日　金曜　くもり

ああ、思いっきり意地悪く生きる神経がほしい。

「すてきな着物ねえ」

とさわって、生地の値ぶみをする、あの小意地の悪い中年女の心を、わたしに賜りたし。

これが、ニンゲンの堕落のハジメ。

二月六日　土曜　雪

「現代はいい時代だよ。昔の徳川将軍だって、天皇だって、テレビを見たこともなければ、飛行機にもカーにも乗ったことがない。俺たちは秀吉や家康より、ゼイタクしてるんだ」

一人で街に出て、喫茶店に入ったら、若い会社員が二人、そんなことを話し合っていた。ゼイタクしているから、いい時代なのだろうか。人間にとって、いい時代とは一体どんな時代なのだろう。

どこかで、わたしが変化していっているような不安。

一日だけでいい。わたしは男になってみたい。しかし、男になったからといって、お酒をのんで、でれでれして、そのくせ、

「全く女なんてバカなものさ」

などといっているだけなら、犬になったほうがいい。

男になって、わたしは一体何をしたいのだろう。女を真実に愛する男性になりたいのだろうか。

二月七日　日曜　雪

もしわたしが、何もかも捧げていなければ、これほどに深い傷を受けたであろうか。女の悲劇は、むかしから「体をゆるす」という、女にとっては割のわるい、男にとっては好都合な時点から起るのだ。男はわたしをほしいのではなかったのだ。「女」であれば、誰でもよかったのだ。その情欲の勝手さを知るのは、決まって「ゆるした」後になってからなのだ。

終　章

「ぼくは君がほしい」

男はみんな同じことをいう。

二月八日　月曜　晴

札幌中のたばこ屋から、たばこを買ってきて、山と積み上げて火をつけてみたい。大通公園の真ん中で。

つまらぬ人間は、つまらぬことを考える。

愛されたい。ああこの感情は人間への刑罰。なぜなら、真実に愛し得る人間はこの世にいないのだから。

失恋した時にその人間がわかる。転んだら起きるのだ。が、わかってはいても……。

民子さんはこの二、三日、ごきげんだ。加沢先生が、栗巻夫人などと東京に行った覚えはないと、断言したという。ああ、男は何とやすやすと、でたらめを断言することだろう。

そして女は、何とやすやすと、そのでたらめを信ずることだろう。

あと、十三日で彼らは結婚する。いいじゃないの、結婚しようと心中しようと。わたしには無関係のことなのだ。あの二人が築く新家庭には、羨望（せんぼう）を感ずべき何ものもないはずなのだ。あの二人の結婚に、何の真実があるというのだ。

二月九日　火曜　くもり

そうか、そうだったのか。見せたいといっていたのは、この子だったのかと、本間キヨ子さんが背負ってきたベビイを、わたしは眺めた。

勤務を終えて帰ると、寮の応接室に客が待っているという。本間さんが、まるまると肥った赤ん坊を抱き、身構えるようにわたしを待っていた。わたしの顔を見るなり、

「これ、杉井田の子供よ」

と、彼女は切りこむようにいった。

ニコニコ笑っている血色のいい赤ん坊を眺めながら、わたしは意外なほど冷静だった。

おあいにくさま、本間さん。遅すぎたのよ。彼が二十一日に可奈子さんと結婚することに決まった以上、彼の赤ん坊が百人現われたって驚くものですか。と思ったが、

「あなた、杉井田と結婚するつもりでも、だめよ。わたしは彼と結婚してるのよ。籍も入ってるのよ」

「籍?」

驚くわたしに、

終　章

「そうよ。ちゃんと籍が入っているのよ」

彼女は誇らかに宣言した。

「本間さん、ご安心なさって。わたし、あんな人と結婚なんかしないわ」

わたしは「あんな人」という所に力をこめていった。

「うそおっしゃい。杉井田は、あなたに三十万借りたから、結婚しなければ詐欺になるって、会う度、わたしにいってるわ。わたしの存在を彼は……」

「本間さん、あの人は栗巻財閥の娘と、今月二十一日結婚するのよ」

いくらいっても、彼女はうそだという。結婚披露の案内状は、疾うに破り捨てて手許にはない。栗巻家に電話で確かめるようにいうと、彼女はさすがに顔色を変えた。

「でも本間さん。二重結婚はできないわね。あなた、赤ちゃんと戸籍謄本を見せに行くといいわ」

第三者のように、わたしは助言した。

終章

二月十日　水曜　雪

昨夜からの雪が、まだ降りやまない。詰所の窓から、降る雪を眺めながら、ふいにわたしは、むらむらと彼への怒りが湧いた。

それにしても、何というわたしなのだろう。赤ちゃんを背負って、必死な思いでわたしに会いに来た本間さんに、わたしは何の同情もできなかったのだ。それは……やはり、彼女が彼と結婚し、彼の子を生んでいたことへの憎しみのためだったのだろうか。

本間さんは妊娠して、退職して行ったのだ。入籍するという彼の言葉に、安心してやめて行ったのだ。そして事実入籍もした。しかし、彼は時々小樽に行くだけで、一向に同居もせず、言葉巧みに彼女をあしらっていたにちがいない。

一体、可奈子さんとどんなつもりで結婚するのだろう。何という卑怯な男なのだろう。いざという時、逃げもかくれもしないのが男なのだ。同性の本間さんのためにも、わたしは怒るべきだったのだ。いつの間に、わたしは、怒るべきことにも怒り得ない人間になり下っていたのか。

二月十一日　木曜　晴

詰所で、彼と二人になった時、わたしはいってやった。

「本間さんが訪ねて来たわ。赤ちゃんをつれて」

「ぼくの赤ん坊だなんて、いってたでしょう。困っちゃうんですよ。あの女にも」

　彼はたばこをふかして、うす笑いを浮かべた。

「入籍したことも伺ったわ」

「それを、君は信じたの？」

「あなたたなんかの言葉を、信じたばかなわたしですからね」

　一矢報いたが、

「ぼくは、可奈子とは結婚したくないんです。それだけは信じてください」

　という。

　この期に及んで！　何といういさぎよさ！　こんな男に恋をしていた自分自身のこっけいさ。声をあげて笑いたくなる。

終　章

二月十三日　土曜　くもり風強し

　東京の兄から手紙。

〈千香、変りはないか。もしかしたら、三月下旬に札幌に帰るかも知れない。親たちに彼女を紹介したいのだ。姓は丹下、名は三知代。千香と同じ年だ。顔はまあまあだが、性格がいい。バッグンに明るくて素直だ。断わっておくが、ぼくらは今はやりの婚前旅行じゃない。ちゃんと彼女のおふくろも同行する。

　千香も結婚前には、男の誘いに乗るな。男は、本気で愛している女には、決して、たやすく手を出せないものだ。

　とにかく、俺の結婚を祝福せよ。この手紙は、そのための準備工作だ。では〉

ばかです、わたしは。本当にばかです。日記帳の全頁にそう書きたい思い。

　民子さんにこの手紙を見せたら、幾度も幾度も読み返してからいった。

「千香ちゃんのお兄さんのような男性が、少なすぎるんだよ。誰だって、きれいな体で花嫁になりたいのに」

　と、しんみりいっていた。

「民子さんは、いつかいっていたじゃない？　触れるべからずと書いてある物には、手を触れたい。それが若さの分別で、大人の分別とはちがうって」

「ああ、それはね、加沢に教えられたのよ。今考えたら、あれが彼の口説き文句だったのよ」

　と笑った。

　そこに芙佐ちゃんが、すし折を持ってきてくれた。

「お茶をいれなよ、お千香。今日はお千香の失恋祝いだ」

　という。

「失恋祝い？」

「そうさ。あんな男と結婚したら、一生をメチャメチャにされたよ。大体さ、女は失恋するとメソメソしたり、ボンヤリしたり、全くアホッタレだよ。女を捨てたり、裏切ったりは、本物の男にはできない相談だよ。それができる男は、つまり男じゃないよ」

　ポンポンと威勢よくいって、すし折をひらいてくれた。言葉は男のようだが、やさしい人だ。

「男性が、みんな芙佐ちゃんみたいな考えだったらねえ」

　というと、

「ここの病院にだって、たくさんいい男性はいるよ。杉井田と加沢の二人だけさ、妙な男は」

という。いつもなら男性罵倒論で終始するのに。

「あら、加沢のこと、そんなに悪くいわないで」

民子さんは冗談にすねてみせる。

「ああ、加沢はいい男だよ。いてもいなくてもいい男さ。いや、いないほうが絶対にいい男さ」

芙佐ちゃんはそんなことをいっていた。ふっと本間さんのことが気になった。

二月十七日　水曜　くもり

これが現実ということなのか。現実とは一体何だろう。めまいがしそうだ。

今日から深夜なので、午後、家に遊びに行こうとするところに電話。思いがけなく可奈子さんから。

「ね、おねがい。お話があるの。車を迎えに上げるわ」

と切迫した声。さては本間さんが、赤ちゃんと戸籍謄本を彼女に突きつけたなと直感。

どうしようかと迷ったが、わたしが深夜勤務であることを、先に病院に電話をかけた彼女は知っていて、

「ね、今日は、わたしのそばにいて」

などと、勝手なことをいっている。

結局、どんな結末になったか、わたしも知りたかった。ばかばかしいが行くことにする。

彼女の髪を洗っていて、その細い首をしめたいと思ったことがあった。その殺意が形を変えて、彼女の苦しみを見たい思いにさせているのではないか。

迎えの車に乗って行く途中、信号が次々と赤ばかり。円山(まるやま)から月寒(つきさっぷ)の栗巻邸まで、四十

終章

分もかかった。

　広い庭、三階建の白い洋館、円形のバルコニー、真っ赤なじゅうたん、豪華な、滝にも似たシャンデリヤ。

「コンニチワ、コンニチワ」

　と呼ぶ九官鳥。映画に出てくるような家だった。

　通された可奈子さんの部屋は、二十畳ほどの広さ。ばら色のじゅうたんと、大理石のマントルピース。目をうばわれる間もなく、

「西原さん！」

　と、少し肥った可奈子さんが、黒いソファから立ち上った。

「西原さん、ママと杉井田がゆうべ逃げたのよ」

「え!?」

　わたしは耳を疑った。

「置手紙があるわ。ママって凄い人でしょう」

　可奈子さんは、オレンジ色のガウンに両手をつっこんだまま、つっ立っていたが、

「すわりましょう、西原さん」

　樺（かば）の木を燃やしているマントルピースの傍（そば）の、ソファにすわった。

わたしにはまだ、事態がのみこめなかった。本間さんが現れたのだとばかり思っていた。

「ね、西原さん。わたしがママの子でないことは知っていたでしょう？　わたしはね、ママの妹の子供なの。パパとわたしの本当の母は、三年程恋愛していたらしいの。無論ママにかくれてね。でも、わたしが生まれて、パパはママを離婚しようと思ったことがあって、一時ごたごたしたのよ。つまり、ママは執念深く、その時のことを恨みつづけていたのね。そして復讐のチャンスをねらっていたのよ。杉井田は最初っからママの恋人だったらしいわ。ママぐらいの魅力があると、年など問題じゃないのね。でも、ママは彼とわたしを婚約させておいて、結婚を目前に逃げることを考えたのね。ママは置手紙の最後に、

〈わたしは今、喜びにふるえつつペンをおきます〉

と書いてあったわ。ね、わかったでしょう、ママと杉井田の正体が」

可奈子さんは、ひとごとのように、おかしそうに笑った。が、決して笑ったのではない。彼女の唇はひくひくとけいれんしていた。わたしは呆然と、彼女の顔を眺めていた。

「ママは天下一品の利口者よ。加沢先生をカムフラージュにつかったらしいわ。今考えると、ずい分前から、ママはこの日のために備えていたのよ。いつもパパに、土地や家はほしくないわ、宝石がいいわって、宝石ばかりおねだりしていたのよ。ね、こんな時、宝石だといくらたくさん持っていても、持って逃げられるわ。一生どころか、二生でも三生でも、

食べるのに困らないぐらいよ」

　わたしは、夫人の手にいつもきらめいていた七百万もするダイヤとか、ヒスイとかを思い出した。

「パパは今夜、アメリカから帰ることになっているの。パパ、卒倒するわよ。たくさんのお客様を招待しているんですもの。とんだ披露パーティーになるわ。ママと花ムコの蒸発披露パーティーにするといいのよ」

　可奈子さんはヒステリックに笑った。本間さんは、なぜかまだ、この家に現われてはいないらしい。またしても杉井田にうまくまるめられたか、栗巻夫人にお金をつかまされたかなのだろう。

「あなたから杉井田を取った罰を、わたしは見事に受けたのよ。うれしいでしょう、西原さん」

　可奈子さんは乾いた目で、わたしを見た。わたしは黙って、首を横にふった。

二月十八日　木曜　晴

「逃げたんだって、お千香知ってる?」

　芙佐ちゃんが夕方、部屋に入ってきた。民子さんも、病院から飛んで帰ってきた。

「知ってるわ」

「何だ、いやに落ちついてるよ、この子は。病院はてんやわんやの大騒ぎよ。あんたは深夜で、まだ出てないからわからないだろうけれど」

「そうよ、大騒動よ。加沢なんて、一日中、ウロチョロしてたわよ」

　民子さんも、平静なわたしに驚ろいている。

　わたしは昨日から、ひどくむなしくなっていた。自分が愛した男の正体は、あまりにも醜かった。そのことに、わたしの心は傷つけられていた。

　たとえ捨てられてもいい。その愛した男性に心惹かれるものがあれば、こうまで、わたしはむなしくならずに済んだであろう。何の愛する価値もない男に、身をまかせた口惜しさ。一切が過ぎたことなら、それでいい。しかし、あまりにもひどい男の正体を知ったわたしには、過去がもはや、単なる過去とはなり得ないのだ。

わたしを、本間さんを、可奈子さんを、そして、恐らくは多くの女性をもてあそび、裏切った男を思うと、身ぶるいがする。あの男は、栗巻夫人の巨額の宝石をうばうために、あの夫人をも殺しかねない男なのだ。愛した男性は、愛した日のままの姿であってほしい。これが、女のねがいなのに。

わたしの心の底を、さむざむとした風がふきぬけて行く。わたしは、芙佐ちゃんや民子さんが、何か話をしているそばで、その風の吹きぬける音に耳を傾けていた。

二月十九日　金曜　小雪

〈男は常に女の初恋の人でありたい。女は常に男の最後の女性でありたい〉

ふと、そんな言葉を思い出す。

誰かのかきならすギターの音で、午後二時頃目がさめる。まだ四時間と眠っていないのだ。わたしは目をさますことがつらい。自分が自分であることを、忘れたいのだ。

つまらぬ男を愛したのが、返す返すもくやしい。

広川さんに会いたい。広川さんの言葉を聞きたい。広川さんは、今のわたしにどんな言葉をくれるだろう。

夕方、寮の食堂に行く。何を食べたいとも思わない。ぼんやりとラーメンを食べていると、柳子さんが傍にきてすわった。この人なら、彼の甘言に身を任すようなことは、先ずしなかったであろう。そう思うと、柳子さんと自分の差が、はっきりわかったような気がした。

「ね、柳子さん、わたしみたいに、愛するに価しない男を愛するなんて、ばかね」

というと、柳子さんはそれには答えず、

「だました側ではなく、だまされた側だということは幸せよ」

といった。なるほどとは思うが、やはりむなしさはいいようもない。

終章

二月二十一日　日曜　晴

今日、彼と可奈子さんは結婚するはずだった。そう思いながら晴れた街に一人出てみた。もし、夫人と彼が逃げなければ、わたしは今日、どんな思いで一日を耐えたことだろう。どんなにあきらめていたとしても、平静には今日の日を過し得なかったにちがいない。今ごろは結婚式のはじまる頃だとか、新婚旅行に発つ頃だとか、やはり胸を刺される思いであったろう。

日がいいのか、結婚の多いこと。グランドホテルの前に二組のカップルがかちあうのを見た。日に二十組もの結婚式があると聞く。一体、どんなふうに男と女が出会って、結婚に至るのだろう。この結婚のかげに泣く人が、一人もいないだろうか。わたしは、そんなことを思い浮かべながら、ホテルの前を通った。

それにしても、可奈子さんはどんな思いで今日の日を過しているだろう。さすがに今日は可奈子さんが哀れだ。

青空が美しくても、人が街に溢れていても、わたしの胸は依然としてむなしい。むなしさの極みには、人は何を考えるのだろう。

「わたしと遊んでくださらない？」

　街角に立って、うす汚い男にさえ誘いかけることをするのかも知れない。そう思って、わたしも街角に立ち、過ぎ行く男の顔を眺めていた。わたしは、男と遊ぶほどのむなしさも持ち得ないのか。どの顔にも、何の興も湧かず。

　ふっと広川さんの顔が浮かぶ。

〈弱い愚かな人間〉

　と、あの人はいった。弱い愚かな人間なるが故に、許し合えと彼はいった。しかし、杉井田はわたしに許してほしいと思っているだろうか。

　栗巻夫人も、彼も、許してほしいなどとは、思わぬ人々なのだ。許しを乞わぬ人間を、人は許すことができるだろうか。神だって許しはしまい。

　街角に立って、再び人々の顔を眺めながら、なぜ雑沓（ざっとう）の中に出てきたのかと思う。ビルの間から、遠い雪山の白く輝くのを、わたしはぼんやりみつめた。

　本屋に入る。新刊書が溢れている。

〈愛する人のために〉

〈人は愛し得るか〉

〈愛は永遠に〉

〈愛なき街〉

〈愛はかの日のために〉

　何と、愛の字のつく本の多いことよ。愛について語ったからといって、愛し得るわけではない。これらの著者は、人を本当に愛したことがあるのかと、皮肉な思いでわたしは本を見た。

　ケーキのつくり方の本や、弁当三百六十五日の本をのぞいたほうが、おもしろい。ここには、愛などという字は一字もない。

　本屋を出ようとしたら、レジの横に聖書が並んでいた。何気なくパラパラと開いてみると、妙にわたしの心を惹く言葉があった。

〈神は、彼らがただ肉であって、
　過ぎ去れば、再び帰りこぬ風であることを、思い出された〉

　わたしは聖書を閉じ、外に出た。そして心の中で、幾度かこの言葉をくちずさんだ。

「ただ肉である」というのは、肉体だけの魂のない人間という意味でもあろうか。そうかも知れないと思う。わたしも、逃げた彼も、栗巻夫人も、可奈子さんも、単なる肉体だけの人間のような気がする。そして過ぎ去れば、もはや帰りこぬ風のように、むなしい人生を生きている哀れな人間なのだと思った。淋しかった。むなしい人生とも知らず、生きてきた自分が愚かしいと思った。

二月二十二日　月曜　くもり

患者の寝しずまった廊下を歩きながら、昨夜ほど、夜が深いと思ったことはない。

むなしさの中にのみ、浸っていてよいのか。

〈彼らは、ただ肉であって
　過ぎ去れば
　再び帰りこぬ風〉

　であってよいのか。

　わたしは人間なのだ。単なる肉塊ではないのだ。

　午後三時まで寝て、広川さんに手紙を書く。

「君がぼくを必要とする時、いつでもぼくを呼んでください」

　広川さんは、そう書いて退院して行ったのだ。わたしはその言葉を思いながら、便箋をひらいた。

「広川さん。

　その後、お体の調子はいかがでしょうか。わたしは、広川さんにお会いしたいのです。

終　章

お会いして、人間とは何かを伺いたいのです。わたしは、自分の一生が、本当にかけがえのないものであることを、今、ようやく気づいたのです。

広川さん、広川さんはいつかおっしゃいましたね。

〈吾を通る者は憂いの街に至る〉

という言葉。あれは確か、ダンテの地獄の門の言葉でしたね。広川さんは、それをもじって、

〈恋する者は憂いの街に至る〉

と、おっしゃっていましたね。わたしは今、その言葉を思い出しています。そして、こう訂正したいのです。

〈愚かな恋をする者は憂いの街に至る〉

と。

広川さん、教えてください。憂いの街に至らぬ生き方を教えてください。本当に真実に生きるとは、どういうことか、教えてください。お返事をお待ちしています。

でも、お体の具合が悪ければ、急いでお返事をくださらないように。くれぐれもお大事になさってください」

手紙を書いて、外来のポストまで出しに行く。外来には、もう患者の姿はなかった。

二月二十七日　土曜　雪

ああ、人生とは何なのか。

今日あたり、広川さんから便りがくるはずだと、心待ちにしていると、外来から婦長に電話。

「え？　まあ！　はいはい再入院ですか。はいはい、すぐ行きます」

ガチャンと電話を切った婦長が、珍らしくたかぶった声でわたしたちにいった。

「広川さんが再入院よ。重態らしいわ。急いで個室を用意して。そうね、わたしと西原さんが迎えに行こう」

わたしは思わずぎくりとした。

（重態!?）

外来にかけつけると、搬送車に、広川さんは青い顔を力なく横に向け、目をつむっていた。

「広川さん！」

思わずわたしは名を呼んだ。広川さんは目もあけない。妹さんがおろおろと、不安そうに顔をさしのぞいている。婦長とわたしはそろそろと車を押した。

エレベーターの中で、しがみつきたい思いで一ヵ月ぶりに見る広川さんの顔はむくんでいた。不安になって、広川さんのカルテを見たわたしは、背筋が寒くなった。広川さんは尿毒症を併発していたのだ。

(広川さん!)

わたしはすがるように、婦長の顔を見た。婦長は怒ったように上を向いている。婦長も涙をこらえているのだ。

わたしは足ががくがくとふるえた。エレベーターは三階にとまった。

(死なないで! 広川さん)

ドアが開いた。婦長とわたしは顔を見合わせて、再び搬送車をそろそろと動かした。

広川さん、夜になっても予断を許さぬ容態。ああ、わたしの命を譲り得るものならば……。切実に、何者かに祈りたい思いがする。

(終わり)

終章

〈底本について〉

この本に収録されている作品は、次の出版物を底本にして編集しています。

『帰りこぬ風』新潮文庫　1983年3月25日

（1999年10月5日第38刷）

〈差別的表現について〉

作品本文中に、差別的表現とも受け取れる語句や言い回しが使用されている場合がありますが、著者が故人であることを考慮して、底本に沿った表現にしております。ご了承ください。

三浦綾子とその作品について

三浦綾子　略歴

1922　大正11年　4月25日
北海道旭川市に父堀田鉄治、母キサの次女、十人兄弟の第五子として生まれる。

1935　昭和10年　13歳
旭川市立大成尋常高等小学校卒業。

1939　昭和14年　17歳
旭川市立高等女学校卒業。
歌志内公立神威尋常高等小学校教諭。

1941　昭和16年　19歳
神威尋常高等小学校文珠分教場へ転任。
旭川市立啓明国民学校へ転勤。

1946　昭和21年　24歳
啓明小学校を退職する。
肺結核を発病、入院。以後入退院を繰り返す。

1948　昭和23年　26歳
幼馴染の結核療養中の前川正が訪れ交際がはじまる。
1952　昭和27年　30歳
脊椎カリエスの診断が下る。
小野村林蔵牧師より病床で洗礼を受ける。
1954　昭和29年　32歳
前川正死去。
1955　昭和30年　33歳
三浦光世と出会う。
1959　昭和34年　5月24日　37歳
三浦光世と日本基督教団旭川六条教会で中嶋正昭牧師司式により結婚式を挙げる。
1961　昭和36年　39歳
新居を建て、雑貨店を開く。
1962　昭和37年　40歳
『主婦の友』新年号に入選作『太陽は再び没せず』が掲載される。

三浦綾子とその作品について

1963　昭和38年　41歳
朝日新聞一千万円懸賞小説の募集を知り、一年かけて約千枚の原稿を書き上げる。

1964　昭和39年　42歳
朝日新聞一千万円懸賞小説に『氷点』入選。
朝日新聞朝刊に12月から『氷点』連載開始（翌年11月まで）。

1966　昭和41年　44歳
『氷点』の出版に伴いドラマ化、映画化され「氷点ブーム」がひろがる。
『塩狩峠』の連載中から口述筆記となる。

1981　昭和56年　59歳
初の戯曲「珍版・舌切り雀」を書き下ろす。
旭川市公会堂にて、旭川市民クリスマスで上演。

1989　平成元年　67歳
結婚30年記念CDアルバム『結婚30年のある日に』完成。

1994　平成6年　72歳
『銃口』刊行。最後の長編小説となる。

1998　平成10年　76歳
三浦綾子記念文学館開館。
1999　平成11年　77歳
10月12日午後5時39分、旭川リハビリテーション病院で死去。

没後

2008　平成20年
開館10周年を迎え、新収蔵庫建設など、様々な記念事業をおこなう。
2012　平成24年
生誕90年を迎え、電子全集配信など、様々な記念事業をおこなう。
2014　平成26年
『氷点』デビューから50年。「三浦綾子文学賞」など、様々な記念事業をおこなう。
10月30日午後8時42分、三浦光世、旭川リハビリテーション病院で死去。90歳。

２０１６　平成28年
『塩狩峠』連載から50年を迎え、「三浦文学の道」など、様々な記念事業をおこなう。

２０１８　平成30年
開館20周年を迎え、分館建設、常設展改装など、様々な記念事業をおこなう。

２０１９　令和元年
没後20年を迎え、オープンデッキ建設、氷点ラウンジ開設などの事業をおこなう。

２０２２　令和４年
三浦綾子生誕100年を迎え、三浦光世日記研究とノベライズ、作品テキストや年譜のデータベース化、出版レーベルの創刊、作品のオーディオ化、合唱曲の制作、学校や施設等への図書贈呈など、様々な記念事業をおこなう。

三浦綾子　おもな作品　（西暦は刊行年※一部を除く）

1962　『太陽は再び没せず』（林田律子名義）
1965　『氷点』
1966　『ひつじが丘』
1967　『愛すること信ずること』
1968　『積木の箱』『塩狩峠』
1969　『道ありき』『病めるときも』
1970　『裁きの家』『この土の器をも』
1971　『続氷点』『光あるうちに』
1972　『生きること思うこと』『自我の構図』『帰りこぬ風』『あさっての風』
1973　『残像』『愛に遠くあれど』『生命に刻まれし愛のかたみ』『共に歩めば』
『死の彼方までも』
1974　『石ころのうた』『太陽はいつも雲の上に』『旧約聖書入門』
1975　『細川ガラシャ夫人』

三浦綾子とその作品について

1976 『天北原野』『石の森』
1977 『広き迷路』『泥流地帯』『果て遠き丘』『新約聖書入門』
1978 『毒麦の季』『天の梯子』
1979 『続泥流地帯』『孤独のとなり』『岩に立つ』
1980 『千利休とその妻たち』
1981 『海嶺』『イエス・キリストの生涯』『わたしたちのイエスさま』
1982 『わが青春に出会った本』『青い棘』
1983 『水なき雲』『三浦綾子作品集』『泉への招待』『愛の鬼才』『藍色の便箋』
1984 『北国日記』
1985 『白き冬日』『ナナカマドの街から』
1986 『聖書に見る人間の罪』『嵐吹く時も』『草のうた』『雪のアルバム』
1987 『ちいろば先生物語』『夕あり朝あり』
1988 『忘れえぬ言葉』『小さな郵便車』『銀色のあしあと』
1989 『それでも明日は来る』『あのポプラの上が空』『生かされてある日々』
『あなたへの囁き』『われ弱ければ』
1990 『風はいずこより』

1991 『三浦綾子文学アルバム』『三浦綾子全集』『祈りの風景』『心のある家』
1992 『母』
1993 『夢幾夜』『明日のあなたへ』
1994 『キリスト教・祈りのかたち』『銃口』『この病をも賜ものとして』『小さな一歩から』『幼な児のごとく——三浦綾子文学アルバム』
1995 『希望・明日へ』『新しき鍵』『難病日記』
1996 『命ある限り』
1997 『愛すること生きること』『さまざまな愛のかたち』
1998 『言葉の花束』『綾子・大雪に抱かれて』『雨はあした晴れるだろう』『ひかりと愛といのち』
1999 『三浦綾子対話集』『明日をうたう命ある限り』『永遠に 三浦綾子写真集』
2000 『遺された言葉』『いとしい時間』『夕映えの旅人』『三浦綾子小説選集』
2001 『人間の原点』『永遠のことば』
2002 『忘れてならぬもの』『まっかなまっかな木』『私にとって書くということ』
2003 『愛と信仰に生きる』『愛つむいで』
2004 『「氷点」を旅する』

三浦綾子とその作品について

2007　『生きること ゆるすこと 三浦綾子 新文学アルバム』
2008　『したきりすずめのクリスマス』
2009　『綾子・光世 響き合う言葉』
2012　『丘の上の邂逅』『三浦綾子電子全集』
2014　『ごめんなさいといえる』
2016　『国を愛する心』『三浦綾子 366のことば』
2018　『一日の苦労は、その日だけで十分です』
　　　『信じ合う　支え合う　三浦綾子・光世エッセイ集』
2020　『カッコウの鳴く丘』（小冊子）
2021　『雨はあした晴れるだろう』（増補復刊）『三浦綾子祈りのことば』
　　　『平凡な日常を切り捨てずに深く大切に生きること』
2022　『愛は忍ぶ　三浦綾子物語――挫折が拓いた人生』
　　　『三浦綾子生誕100年記念文学アルバム　――ひかりと愛といのちの作家』

三浦綾子の生涯

難波真実（三浦綾子記念文学館 事務局長）

三浦綾子は１９２２年４月25日に旭川で誕生しました。地元の新聞社に勤める父・堀田鉄治と母・キサの五番めの子どもでした。大家族の中で育ち、特に祖母の影響が強かったのでしょうか、お話の世界が好きで、よく本を読んでいたようです。文章を書くことも好きだったようで、小さい頃からその片鱗がうかがえます。13歳の頃に幼い妹を亡くし、死と生を考えるようになりました。この妹の名前が陽子で、『氷点』のヒロインの名前となりました。

綾子は女学校卒業後、16歳11ヶ月で歌志内市（旭川から約60キロ南）の小学校に代用教員として赴任します。当時は軍国教育の真っ只中。綾子も一途に励んでおりました。

そんな中で１９４５年８月、日本は敗戦します。それに伴い、教育現場も方向転換しました。教科書への墨塗りもその一例です。そのことが発端となってショックを受け、生徒たちへの責任を重く感じた綾子は、翌年３月に教壇を去りました。私の教えていたことは何だったのか。正しいと思い込んで一所懸命に教えていたことが、まるで反対だったと、失意の底に沈みました。

しかし一方で、彼女の教師経験は作品を生み出す大きな力となりました。『積木の箱』『泥流地帯』『天北原野』など、多くの作品で教師と生徒の関わりの様子が丁寧に描かれていて、綾子が生徒たちに向けていた温かい眼差しがそこに映しだされています。また、綾子最後の小説『銃口』で、北海道綴方（つづりかた）教育連盟事件という出来事を描いていますが、教育現場と国家体制ということを鋭く問いかけました。

さて、教師を辞めた綾子は結婚しようとするのですが、結納を交わした直後に病気にかかります。肺結核でした。人生に意味を見いだせない綾子は婚約を解消し、オホーツクの海で入水自殺を図ります。間一髪で助かったものの自暴自棄は変わらず、生きる希望を失ったままでした。そしてさらに、脊椎カリエスという病気を併発し、絶対安静という療養生活に入ります。ギプスベッドに横たわって身動きできない、そういう状況が長く続きました。

しかしある意味、この闘病生活が綾子の人生を大きく方向づけました。療養が始まって2年半が経った頃、幼なじみの前川正という人に再会し、彼の献身的な関わりによって綾子は人生を捉え直すことになります。人はいかに生きるべきか、愛とはなにかということを綾子はつかんでいきました。前川正を通して、短歌を詠むようになり、キリスト教の信仰を持ちました。作家として、人としての土台がこの時に形作られたのです。

前川正は綾子の心の支えでしたが、彼もまた病気であり、結局、綾子を残してこの世を去ります。綾子は大きなダメージを受けました。それから1年ぐらい経った頃、綾子が参加していた同人誌の主宰者によるきっかけで、ある男性が三浦綾子を見舞います。この人が、三浦光世。後に夫になる人です。光世は綾子のことを本当に大事にして、愛して、結婚することを決めるのです。病気の治るのを待ちました。もし、治らなくても、自分は綾子以外とは結婚しないと決めたのですが、4年後、綾子は奇跡的に病が癒え、本当に結婚することができたのです。

結婚した綾子は雑貨店「三浦商店」を開き、目まぐるしく働きます。そんな折に弟から手渡された朝日新聞社の一千万円懸賞小説の社告を見て、1年かけて約千枚の原稿を書き上げました。それがデビュー作『氷点』。42歳の無名の主婦が見事入選を果たします。テレビドラマ、映画、舞台でも上演されて、氷点ブームを巻き起こしました。

一躍売れっ子作家となった綾子は『ひつじが丘』『積木の箱』『塩狩峠』など続々と作品を発表します。テレビドラマの成長期とも重なり、作家として大活躍しました。光世は営林局に勤めていたのですが、作家となった綾子を献身的に支えました。『塩狩峠』を書いている頃から綾子は手が痛むようになり、光世が代筆して、口述筆記のスタイルを採るようになりました。それからの作品はすべてそのスタイルです。光世は取材旅行にも同行しました。文字通り、夫婦としても、創作活動でもパートナーとして歩みました。

1971年、転機が訪れます。主婦の友社から、明智光秀の娘の細川ガラシャを書いてくれとの依頼があり、翌年取材旅行へ。これが初の歴史小説となり、『泥流地帯』『天北原野』『海嶺』などの大河小説の皮切りとなりました。三浦文学の質がより広く深くなったのです。同じく歴史小説の『千利休とその妻たち』も好評を博しました。

ところが1980年に入り、「病気のデパート」と自ら称したほどの綾子は、その名の通り次々に病気にかかります。人生はもう長くないと感じた綾子は、伝記小説をその頃から多く書きました。クリーニングの白洋舎を創業した五十嵐健治氏を描いた『夕あり朝あり』は、激動の日本社会をも映し出し、晩年の作品へとつながる重要な作品です。

1990年に入り、パーキンソン病を発症した綾子は「昭和と戦争」を伝えるべく、最後の力を振り絞って『母』『銃口』を書き上げました。〝言葉を奪われる〟ことの恐ろしさと、そこに加担してしまう人間の弱さをあぶり出したこの作品は、「三浦綾子の遺言」と称され、日本の現代社会に警鐘を鳴らし続けています。

綾子は、最後まで書くことへの情熱を持ち続けた人でした。そして光世はそれを最後まで支え続けました。手を取り合い、理想を現実にして、愛を紡ぎつづけた二人でした。

そして１９９９年10月12日、77歳でこの世を去りました。旭川を愛し、北海道を〝根っこ〟にして書き続けた35年間。単著本は八十四作にのぼり、百冊以上の本を世に送り出しました。今なお彼女の作品は、多くの人々に生きる希望と励ましを与え続けています。

三浦綾子とその作品について

この「手から手へ～三浦綾子記念文学館復刊シリーズ」は、〝紙の本で読みたい〟という三浦綾子文学ファンの声に応えるため、絶版や重版未定のまま年月が経過した作品を、三浦綾子記念文学館が編集し、本にしたものです。

〈シリーズ一覧〉

(1) 三浦綾子『果て遠き丘』（上・下）　２０２０年11月20日

(2) 三浦綾子『青い棘』　２０２０年12月１日

(3) 三浦綾子『嵐吹く時も』（上・下）　２０２１年３月１日

(4) 三浦綾子『帰りこぬ風』　２０２１年３月１日

(5) 三浦綾子『残像』（上・下） ２０２１年７月１日

(6) 三浦綾子『石の森』 ２０２１年７月１日

(7) 三浦綾子『雨はあした晴れるだろう』（増補） ２０２１年10月１日

(8) 三浦綾子『広き迷路』 ２０２１年10月30日

(9) 三浦綾子『裁きの家』 ２０２３年２月14日

(10) 三浦綾子『積木の箱』 ２０２３年春頃刊行予定

ほか、公益財団法人三浦綾子記念文化財団では左記の出版物を刊行しています（刊行予定を含む）。

〈氷点村文庫〉

(1)『おだまき』（第一号 第一巻） 2016年12月24日 ※絶版

(2)『ストローブ松』（第一号 第二巻） 2016年12月24日 ※絶版

〈記念出版〉

(1)『合本特装版　氷点・氷点を旅する』　２０２２年４月25日

(2)『三浦綾子生誕100年記念アルバム　―ひかりと愛といのちの作家』　２０２２年10月12日

〈横書き・総ルビシリーズ〉

(1)『横書き・総ルビ　氷点』（上・下）　２０２２年９月30日
(2)『横書き・総ルビ　塩狩峠』　２０２２年８月１日
(3)『横書き・総ルビ　泥流地帯』　２０２２年８月１日
(4)『横書き・総ルビ　続泥流地帯』　２０２２年８月15日
(5)『横書き・総ルビ　道ありき』　２０２２年９月１日
(6)『横書き・総ルビ　細川ガラシャ夫人』（上・下）　２０２２年12月25日

〈読書のための「本の一覧」のご案内〉

三浦綾子記念文学館の公式サイトでは、三浦綾子文学に関する本の一覧を掲載しています。読書の参考になさってください。左記URLあるいはQRコードでご覧ください。

https://www.hyouten.com/dokusho

ミリオンセラー作家　**三浦 綾子**

1922年北海道旭川市生まれ。小学校教師、13年にわたる闘病生活、恋人との死別を経て、1959年三浦光世と結婚し、翌々年に雑貨店を開く。

1964年小説『氷点』の入選で作家デビュー。約35年の作家生活で84にものぼる単著作品を生む。人の内面に深く切り込みながらそれでいて地域風土に根ざした情景描写を得意とし〝春を待つ〟北国の厳しくも美しい自然を謳い上げた。1999年、77歳で逝去。

www.hyouten.com

〒070-8007　北海道旭川市神楽7条8丁目2番15号

電話 0166-69-2626　FAX 0166-69-2611

toiawase@hyouten.com

帰りこぬ風

手から手へ ～ 三浦綾子記念文学館復刊シリーズ ④

令和三年三月一日　私家版発行
令和三年十月三十日　初版発行
令和五年二月十四日　第二刷発行

著者　三浦綾子
発行者　田中綾
発行所　公益財団法人三浦綾子記念文化財団
〒〇七〇―八〇〇七
北海道旭川市神楽七条八丁目二番十五号
電話　〇一六六―六九―二六二六
https://www.hyouten.com
価格はカバーに表示してあります。
印刷所　三浦綾子記念文学館・株式会社あいわプリント
製本所　有限会社すなだ製本

 ISBN 978-4-9912325-0-3